Virginia, mon amour, ma sœur

Illustration de couverture : © plainpicture/Peter Glass

Copyright © 2008 by Susan Sellers

ISBN : 978-2-7467-1527-1

© Éditions Autrement, 2011, pour la présente édition.

SUSAN SELLERS

Virginia, mon amour, ma sœur

Traduit de l'anglais par Laurent Bury

RETIRÉ DE LA COLLECTION UNIVERSELLE
Bibliothèque et Archives nationales du Québec

Éditions Autrement **Littératures**

Pour Jeremy et Ben Thurlow, avec toute mon affection.

1

Je suis étendue dans l'herbe, sur le dos. Thoby est allongé à côté de moi, son ventre chaud collé contre mon corps. J'ai les yeux ouverts et j'observe les nuages qui se poursuivent à travers le ciel, j'y distingue des géants, des châteaux, de fabuleuses créatures ailées. Quelque chose me chatouille la joue. Je me redresse sur mon coude et j'attrape le brin d'herbe que Thoby tient à la main. Il s'écarte brusquement et nous commençons à nous battre et à ricaner, jusqu'au moment où je ne sais plus ce qui est Thoby et ce qui est moi dans ce pêle-mêle de bras et de jambes. Quand nous arrêtons enfin, j'ai le visage de Thoby contre la poitrine. Je sens sur mes côtes le poids de sa tête. Le soleil dore ses cheveux, et quand je relève les yeux, je vois la blancheur aveuglante d'un ange. Je passe le bras autour du cou de Thoby. Pour la première fois de ma vie, je sais ce que signifie le mot « bonheur ».

Une ombre s'abat sur nous. Mon ange disparaît. Je reconnais tes yeux vert serpent. Tu veux t'allonger entre nous et quand je te repousse, tu bondis et tu murmures à l'oreille de Thoby. Il lève la tête et te regarde. Je vois à sa mine que tes mots l'ont ensorcelé. Je sais que tu vas l'attirer dans l'un de tes projets casse-cou. Je roule sur le ventre et j'appuie mon visage contre le sol. L'herbe pique mes paupières et je me concentre sur cette sensation. Quand je me retourne, vous avez disparu tous les deux. Je m'assieds et j'aperçois Thoby perché tant bien que mal en haut du mur du jardin. Il s'accroche aux branches au-dessus de sa tête pour ne pas tomber. Je l'entends pousser des cris de défi et de peur. J'ai envie de lui hurler de venir jouer dans l'herbe avec moi. Puis je te vois saisir la jambe de Thoby pour te hisser à côté de lui. Tu vacilles un moment avant de trouver ton équilibre. Je sais que tu vas te retourner, triomphante, pour me faire signe. Je me rallonge dans l'herbe, feignant l'indifférence. Pour rien au monde, je te laisserais voir mes larmes.

Je détache les yeux de la page et je regarde par la fenêtre. Le soleil tremble sur le verre de la vitre. Je crois un instant voir ton visage de petit diable me sourire tandis que j'écris. La lumière change et je ne contemple plus qu'une vitre vide. Mes souvenirs sont aussi emmêlés que les bobines de fil et les morceaux de tissu dans le panier à ouvrage de Maman, que j'adorais renverser par terre, dans la nursery. Je trie les longueurs de ruban coloré et les boutons égarés, et je m'empare d'un triangle de dentelle violette.

Maman. Elle entre dans la nursery, telle une reine. Elle vient passer en revue ses soldats et nous, alignés, attendons impatiemment notre tour. Ses cheveux divisés par une raie médiane sont noués sur sa nuque dans une résille. Elle porte une robe noire qui produit un bruissement de feuilles lorsqu'elle se déplace dans la pièce, ramassant les vêtements humides posés sur le pare-feu, remettant dans leur boîte les pièces dispersées d'un puzzle. Ses doigts couverts de bagues dansent quand elle parle aux bonnes. J'apprends par cœur les questions qu'elle leur pose. Plus tard, je sortirai mes poupées et je les interrogerai, de la même voix ronde et claire, sur l'huile de foie de morue et sur le linge à repriser. Je m'entraîne à me tenir la tête droite et le dos raide jusqu'à avoir l'impression que mes épaules sont coincées dans un étau. Finalement, Maman s'assied sur la chaise au coin du feu et nous fait venir à elle.

Thoby s'avance toujours le premier. Je le vois attiré dans la courbe du bras de Maman, je ferme les yeux pour imaginer le toucher soyeux de sa robe, le parfum de lavande et d'eau oxygénée. Quand je rouvre les yeux, elle lui caresse les cheveux. Je ne m'étonne pas que Thoby soit toujours le premier, je ne m'étonne pas, lorsqu'Adrian naît, de le voir succéder à Thoby. Je sens que c'est l'ordre des choses et que mes souhaits ne comptent guère ici. Pourtant, aussitôt Thoby libéré, avec un baiser, quand Maman te tend la main, c'est comme si une promesse avait été rompue. Mon estomac se serre et une bouffée d'indignation brûlante monte jusqu'à mes joues. Je suis l'aînée. Je devrais passer avant toi. Lorsque Maman te prend sur son genou, tes mains potelées vont chercher le ruban qu'elle porte au cou. Comme elle fronce des sourcils réprobateurs, tu t'arrêtes et tu te penches en avant pour l'embrasser. Son sourire est comme le soleil par un après-midi d'hiver. J'ai l'impression que tu restes une éternité dans ses bras. Tes paumes applaudissent sur un rythme de comptine et quand Maman te félicite, je me demande ce qui arriverait si une étincelle jaillissait de la cheminée vers ton jupon. Je me représente tes vêtements prenant feu, tes cheveux roux s'enflammant et, dans la panique, Maman me serrant contre son sein.

On frappe à la porte. Un peu essoufflée d'avoir monté les escaliers, Ellen apporte une carte de visite sur un plateau. Maman soupire et prend la carte. Lorsqu'elle a fini de la lire, elle la repose sur le plateau et dit à Ellen qu'elle va descendre tout de suite. Elle te soulève de son giron et, avec une ultime recommandation pour les bonnes, elle suit Ellen sur le palier.

Je la regarde partir. Tu rampes vers moi et ta main se dirige vers la boucle de ma chaussure. Rapide comme l'éclair, je piège tes doigts sous ma semelle. Ton cri exprime ce que je ressens. Je compte jusqu'à cinq avant de lever le pied. Puis je me baisse, je te ramasse et je te porte jusqu'à la chaise où Maman était assise. Je te pose sur mes genoux, je te balance d'avant en arrière jusqu'à ce que la douce berceuse de ta respiration m'apprenne que tu es endormie.

Ma demi-sœur Stella est la première à me mettre une craie dans la main. Un anniversaire nous lie, elle et moi. Je fouille dans sa poche et j'en tire le paquet qui est là, je le sais. Il est emballé dans du papier brun qui craque quand je le tourne entre mes mains. À l'intérieur, il y a dix gros bâtons colorés. Stella prend une ardoise qu'elle a cachée sous son bras et dessine. Je suis ébahie par la ligne ondoyante qui apparaît et je tends la main pour m'emparer de la craie. Je passe la matinée absorbée par cette nouvelle occupation. Mes mains sont maladroites, mais je persévère jusqu'à ce que l'ardoise soit recouverte. Je suis fascinée par la manière dont mes traits se croisent et se rejoignent, formant de minuscules triangles, losanges et rectangles. Quand j'ai terminé, je reprends ma place assise et j'admire mon œuvre. J'ai transformé le noir terne de l'ardoise en un arc-en-ciel de couleurs, une pluie de formes qui s'agitent quand je les regarde. Je suis si contente de moi que je cache l'ardoise. Je ne veux partager ma découverte avec personne.

Nous sommes dans le vestibule, prêtes pour la promenade. À notre demande, Ellen nous hisse sur la chaise, devant le miroir, pour que nous puissions contempler notre reflet. Nos visages sont des répliques inexactes l'un de l'autre, comme si un artiste tentait de peindre la même personne vue sous deux angles distincts. Ton visage est plus joli que le mien, tes traits sont plus fins, tes yeux sont un tourbillon rapide de lueurs. Dans mes relations avec le monde, tu es mon alliée naturelle. J'adore la manière dont tu me regardes faire les choses dont tu n'es pas encore capable. Je ne vois pas encore la frustration qui assombrit ce respect, le désir de me rattraper et de me renverser.

– Qui préfères-tu, Maman ou Papa ?

Ta question surgie de nulle part me foudroie. Je tiens le broc d'eau chaude suspendu en l'air et je te dévisage. Tu es agenouillée sur le tapis de bain, la vapeur rend ta peau rose et luisante. La pointe de tes cheveux est mouillée et une serviette est drapée sur tes épaules. L'audace de ta question me stupéfie. Je verse lentement l'eau du broc dans la baignoire.

– Maman.

Je m'étends dans la chaleur de l'eau.

Tu réfléchis à ma réponse, en frictionnant tes cheveux pour en chasser l'humidité.

– Moi, j'aime mieux Papa.

– Papa ?

Je me redresse en hâte.

– Comment peux-tu donc préférer Papa ? Il est toujours si difficile à satisfaire.

– Au moins, il n'est pas évasif.

Tu te tournes vers moi et tu me regardes dans les yeux. Je sens que cette conversation te plaît.

– Mais Maman est...

Je cherche le mot. Je pense à l'arche de son cou lorsqu'elle entre dans une pièce, je pense à l'atmosphère qui change lorsqu'elle prend place à table.

– Est quoi ?

Tes yeux me bravent, à présent.

– Belle, dis-je très vite.

– Quelle importance ?

Tu ne fais rien pour dissimuler ton mépris.

– Maman ne sait pas autant de choses que Papa ; elle ne lit pas autant. Au moins, quand Papa se met à quelque chose, on sait qu'il ne se laissera pas distraire.

Je voudrais reprendre mes esprits, riposter, protester en dénonçant l'égoïsme de Papa. Je veux proclamer la bonté de Maman, crier

11

haut et fort son inébranlable sens de la justice, sa capacité à restaurer l'ordre quand règne le chaos. Au lieu de quoi, je fixe l'eau en silence. Du coin de l'œil, je vois que tu souris.

– Quoi qu'il en soit, nous n'avons pas besoin de nous battre pour nos préférences.

Sûre de ta victoire, tu as pris un ton conciliant. Je sors du bain et je m'enroule dans une serviette. Comme souvent, cette discussion m'a rendue malheureuse. J'appuie mon front contre la fenêtre et je regarde les croisillons que dessinent les branches des arbres contre le ciel. Je n'aime pas cette façon de passer nos sentiments au crible, de soupeser les mérites de Maman et les défauts de Papa comme si la réponse à nos vies n'était qu'une question d'arithmétique. Quand je me demande où nous mènera ton intelligence, j'ai peur, et ce n'est pas la première fois.

Je veux exprimer la magie de cette époque. La présence dominante de Papa, le bruit de ses pas lorsqu'il arpente le bureau au-dessus de nous, ses grognements sonores et insistants. Assise à sa table, Maman écrit, préoccupée, insaisissable. Je visualise cette scène comme si c'était un tableau. Des couleurs sombres : noir, gris, feuille morte, bordeaux, avec des éclairs d'écarlate venant du feu. Le haut est moucheté de gris argent. Les enfants sont à genoux au premier plan. Maman, Papa, nos demi-frères George et Gerald debout en arc de cercle derrière nous, deux silhouettes monumentales et intimidantes. Nos visages sont flous mais on peut en discerner les contours. Le bras de Thoby passe devant le mien, peut-être pour attraper un jouet, une pelote de laine ou un petit train en bois. Laura se cache derrière Thoby, le bras de Stella l'enserrant d'une arche protectrice. Adrian, encore bébé, dort dans son couffin. Tu es au centre de l'image. Tu sembles peinte avec une tout autre palette. Dans tes cheveux s'insinue le rouge du feu, dans ta robe se glisse l'argent du ciel. Tu te détaches de l'obscurité monotone. Je ne puis dire si cette visibilité t'a été imposée, ou si tu la désires.

– Un peu d'attention, Vanessa !

Le rappel à l'ordre de Maman me tire de ma rêverie et je lutte pour me concentrer sur ce qu'elle nous raconte. Elle nous donne un cours d'histoire. Elle a le dos droit comme un i et elle croise modestement les mains sur son giron. Cela aussi fait partie de notre leçon. Elle souhaite nous apprendre que nous devons à chaque instant rester attentives et garder la maîtrise de nous-mêmes. Il y a une couronne au sommet de la page qu'elle lit et, sans le vouloir, je me perds dans les dentelures délicates du motif.

– Vanessa ! C'est la deuxième fois ! Lève-toi, veux-tu, et récite-nous la liste des rois et reines d'Angleterre, dans l'ordre et sans te tromper !

Je bondis de ma chaise. Tu as les yeux fixés sur moi et tu souhaites que ma mémoire soit fidèle, je le sens. Je trébuche sur les noms de Guillaume, d'Henri et d'Étienne, puis je m'arrête tout à fait. Avant que Maman n'ait le temps de me gronder, tu viens à mon secours.

– Pardon, j'ai une question.

Nous regardons toutes deux Maman, qui hoche la tête.

– Est-il vrai qu'Élisabeth Ire fut la plus grande reine que l'Angleterre ait jamais connue ? Fut-elle vraiment un monarque exceptionnel ?

Maman sourit de ton éloquence et je m'avachis sur ma chaise, aussi soulagée que déprimée. Tu as la permission de poursuivre et le triomphe brille dans tes yeux. Je sais que plus rien ne t'arrêtera.

– Pensez-vous qu'elle ait pu tant accomplir parce que c'était une femme ? Parce que, c'est vrai, elle ne s'est jamais mariée. Je suppose qu'aucun roi n'était assez bon pour elle. Si elle s'était mariée, elle aurait été occupée à faire des enfants et elle n'aurait pas eu de temps à consacrer aux affaires de l'État. Les gens l'appelaient « Gloriana » et elle avait sa propre devise.

– *Semper eadem* !

Debout sur le pas de la porte, Papa applaudit ton numéro. Il tient sous son bras le livre qui lui sert à nous enseigner les mathématiques.

– « Toujours la même », poursuit-il. C'est la devise qu'elle fit graver sur sa tombe. Nous en sommes donc à Élisabeth Ire ! La Reine vierge. Vous feriez peut-être mieux de venir avec moi et nous verrons ce que je peux vous trouver dans ma bibliothèque.

Tu te laisses glisser au bas de ta chaise et tu prends la main que Papa te tend. Je remarque ta démarche bondissante lorsque tu sors de la pièce avec lui. La porte se referme derrière toi et je tourne à nouveau mon attention vers Maman. J'essaye de ne pas l'entendre soupirer lorsqu'elle relit la liste des rois.

Je feuillette l'album de photographies familiales et je m'arrête sur un portrait de Laura, la fille que Papa a eue d'un premier mariage. Elle a neuf ans, peut-être dix, et ses cheveux bouclés tombent en cascade sur ses épaules. Elle ne regarde pas l'appareil et serre une petite poupée dans ses bras. Impossible de déterminer l'expression sur son visage.

Tu ne te moquais jamais de Laura, je m'en souviens. Un jour où Thoby avait voulu imiter son bégaiement et fait semblant de jeter son repas dans le feu, cela t'a mise si en colère que tu l'as frappé. Il s'est tourné vers toi, incrédule, mais ton indignation était bien réelle.

Lorsque Laura a quitté la maison, tu es restée enfermée dans ta chambre. C'était le moment du mois où tu étais « indisposée » et quand je suis montée voir si tu avais besoin de quoi que ce soit, je t'ai trouvée allongée, le visage enfoui dans ton oreiller. Je me suis approchée sur la pointe des pieds, et tu m'as regardée.

– L'envoient-ils dans une maison de fous ?

Pas plus que toi, je ne connaissais la réponse, mais j'ai secoué la tête.

– Comment peuvent-ils ?

J'ai vu l'angoisse dans tes yeux. Quand j'ai passé un bras autour de ton torse, c'était pour apaiser ma peur autant que la tienne.

Couchées dans nos lits, nous contemplons l'obscurité. Nous avons supplié qu'on laisse les rideaux entrouverts, mais ils sont bien tirés, afin de nous protéger des inévitables courants d'air. Je ferme les yeux pour imaginer le clair de lune et j'écoute les pas de Maman dans l'escalier. Il y a des invités ce soir et nous l'avons aidée à s'habiller. J'ai refermé avec soin son collier de perles sur sa nuque et elle a promis de venir nous donner le baiser de la nuit. Je l'imagine à table, tendant à chaque convive son assiette de soupe. Si le dîner est réussi, elle nous parlera des efforts qu'elle a dû faire. Elle décrira le jeune homme nerveux qu'il faut délicatement convaincre de participer à la conversation, la femme qu'il faut empêcher de parler de ses maladies pour ne pas horrifier tout le monde. Elle nous parlera de cela non pour nous amuser, mais parce qu'elle veut nous instruire par l'exemple. Nous devons apprendre, nous rappelle-t-elle avec un hochement de tête avisé, qu'une maîtresse de maison ne peut quitter sa place tant que ceux qui l'entourent ne sont pas à leur aise. Ses propres désirs, et ceux de ses filles, doivent passer après les besoins des autres.

L'obscurité est si intense qu'elle semble vivante. Je pense aux chandeliers d'argent, qui réunissent tous les invités dans un cercle de lumière. Une latte du plancher grince et je me tourne vers la source du bruit.

– Maman ? dis-je dans un murmure.

Ta main est sur mon bras. Dans mes divagations, je t'avais oubliée. Je repousse les couvertures pour te faire une place. Nous voilà allongées épaule contre épaule, chacune réconfortée par la présence de l'autre. Tu t'éclaircis la gorge et tu te lances :

– Mrs Dilke, commences-tu de ta voix de conteuse, fut bien surprise un matin en découvrant qu'il ne restait plus aucun œuf dans son garde-manger.

15

Je me redresse contre mon oreiller et je laisse tes mots exercer leur magie. J'ai bientôt oublié le noir et la promesse brisée de Maman. Je suis prise dans ton univers imaginaire. Je m'endors en rêvant de lutins, de poules aux œufs d'or et d'œufs au plat pour mon petit-déjeuner, avec le blanc bien croustillant.

– Elle est en train de le lire ?

Dans le jardin d'hiver où nous travaillons, je me tiens à la fenêtre d'où l'on peut voir le salon. Maman est assise dans son fauteuil, et le dernier numéro de notre journal est sur la table, à côté d'elle. Elle a une lettre à la main et je vois au mouvement de ses lèvres qu'elle en lit certains passages à haute voix, pour Papa. Il occupe le fauteuil voisin et paraît plongé dans son livre. Tu es accroupie à terre à côté de moi, tes mains agacées triturent un coussin. Ton agitation me surprend. Ce journal, nous l'avons écrit pour nous distraire. Je regarde à travers la vitre.

– Elle termine sa lettre, elle la replie dans l'enveloppe.

– A-t-elle pris le journal ?

Je dévisage Maman. Sa tête repose maintenant contre le dossier du fauteuil, elle a fermé les yeux. J'admire son immobilité. Au désespoir, tu martèles le coussin de coups de poing. Je ne peux plus supporter ton angoisse. Alors je mens :

– Ça y est, elle l'ouvre.

– Vois-tu ce qu'elle lit ? Mon article sur l'étang ? Est-ce que ça la fait rire ? Quelle est son expression ?

Je reviens à la fenêtre. Maman est toujours adossée au fauteuil. Je la vois se redresser, ramasser le journal, en déchiffrer le gros titre, puis le laisser tomber sur ses genoux sans l'ouvrir. Je suis incapable de te dire ce que je vois.

– Elle adore. Elle est allée droit vers ton article et maintenant elle rit à gorge déployée.

Je tire énergiquement le rideau devant la fenêtre, puis je m'en éloigne.

Tu souris comme si ce que je t'ai dit était la chose la plus importante qui soit.

C'est notre rituel. Tu es assise sur le tabouret de la salle de bains, une serviette drapée autour de tes épaules. Sur l'étagère, je choisis muguet et eau de rose, et je me place derrière toi. Je verse dans ma main quelques gouttes d'eau de rose que je laisse se réchauffer un peu. Tes épaules sont lisses sous mes doigts. Mes mains descendent dans ton dos, je regarde ta peau qui ondule sous le massage. Tu appuies ta tête contre ma poitrine et, en baissant les yeux, je vois la courbe de tes cils sur tes joues. Je pétris la chair tendre de tes bras comme de la pâte à pain.

– Allez, dis-je avec un léger coup de coude, continue l'histoire.

Les haies découpent le jardin en une série de parterres et de pelouses. Un paradis de poche, selon Papa. Nous jouons au cricket sur la terrasse. C'est mon tour de manier la batte. Tu lances la balle très haut dans le ciel et, tandis que j'attends qu'elle redescende, tu abandonnes tout à coup ton poste et te mets à courir, en criant à Thoby et Adrian de te suivre. Je reste pétrifiée, les yeux sur la balle, puis je commence à courir, inspirée par l'ardeur de ton regard. Hors d'haleine et exaltés, nous arrivons devant les groseilliers qui poussent au bout du potager. C'est seulement alors que j'entends Papa. Tu poses un doigt sur tes lèvres, nous mettant au défi de répondre. Tu te diriges vers la vieille fontaine, en braillant un poème à tue-tête pour noyer la voix de notre père. Nous te suivons, en soldats obéissants. Nous sommes presque au bord du bassin de pierre fendu lorsque Papa nous rattrape. Il t'interroge la première. Soutenant son regard, tu lui dis que tu ne l'as pas entendu appeler. Ta conviction me stupéfie. Puis tu pivotes sur les talons et nous lisons sur ton visage cet ordre très clair : Mentez ! Thoby, dont les yeux ne te quittent pas un instant, secoue la tête quand Papa s'adresse à lui, et tu le récompenses d'un sourire. Ravi d'être inclus

17

dans ce jeu, Adrian glousse et refuse de parler. C'est donc sur moi que retombe la rage de Papa.

– Vous ne m'avez pas entendu ?

Papa a les joues rouges de nous avoir pourchassés à travers le jardin. La colère gronde dans ses yeux. Tu m'observes fixement pendant un certain temps. Je contemple l'herbe.

– Si, Papa, nous t'avons entendu. Nous sommes bien désolés de t'avoir désobéi.

Le regard que tu m'adresses est lourd d'un mépris sans mélange.

Tu es assise sur mon lit, mon collier d'améthystes entrelacé autour de tes doigts. Tu brandis les pierres devant la lumière.

– Celle-ci est pour Maman, dis-tu comme s'il s'agissait des grains d'un chapelet.

J'admire l'éclat violet de la pierre.

– Maman, qui aime la belle Nessa plus qu'elle n'a le temps de le dire.

Tes paroles produisent leur effet et je tente de m'emparer du collier. Tu le mets hors de ma portée et tu poursuis ta litanie comme si de rien n'était.

– Nessa la généreuse, Nessa la bonne. Si seulement Maman n'était pas aussi occupée !

Tu parles sur un ton rusé, enjôleur, narquois.

– Voyons un peu qui d'autre aime notre sœur…

Tu agites les perles et ta voix se réduit à un séduisant murmure.

– Eh bien, qui donc avons-nous là ? Une pauvre chèvre orpheline, dont les bêlements pitoyables appellent sa Maman dauphin. Quelqu'un qui voudrait que Ness ne la gronde pas autant, quelqu'un qui aimerait que Ness arrête de dessiner, mette ses jolis bras autour d'elle et la caresse.

Je sais où tu veux en venir et j'essaye à nouveau d'attraper le collier. Tu sautes en bas du lit et tu te précipites à la fenêtre. Avant que je n'aie pu dire un mot, tu as grimpé sur le rebord, les perles dansant au bout de tes doigts.

– Les chèvres savent très bien grimper, n'oublie pas. Et bondir, aussi.

Je te regarde mesurer la distance qui te sépare de la chaise et je cours vers la fenêtre pour t'arrêter. Tu ris quand je t'attrape par la taille. Ton poids nous entraîne à terre. Tu serres mes poignets et je laisse ta tête rouler sur ma poitrine. Je sens tes lèvres chercher ma joue, mais je ne suis pas d'humeur à te traiter en bébé. Comme une anguille, je me tortille au-dessus de ton corps et je te bloque sous mon épaule. Puis je m'empare de ton poing et j'en libère le collier.

Tu attends une semaine pour prendre ta revanche. Nous venons de faire une promenade dans Kensington Gardens et le ballon offert par la vieille femme assise à l'entrée du parc nous a rendues euphoriques. Quand nous arrivons au coin de Hyde Park Gate, nous nous disputons pour savoir s'il faut ou non parler de ce cadeau à Maman. Je m'incline devant ta liste de raisons de se taire et, tandis que nous suspendons nos manteaux dans le vestibule, j'accepte de cacher le ballon dans le coffre. Nous ôtons plusieurs carpettes afin de faire de la place et, plus tard, quand Maman les trouve dans notre chambre, je me sens obligée d'avouer.

– Est-ce vrai, Virginia ?

Maman a horreur des mensonges et son ton est sévère. Tu me fusilles du regard avant de répondre.

– Tu as devant toi, Maman, une diablesse et une sainte ! dis-tu avec un éclat dédaigneux dans l'œil.

Après une parodie de révérence, tu me montres du doigt. À mon grand étonnement, au lieu de te gronder, Maman rit. Ce soir-là, ta formule est répétée à Papa, qui applaudit ce mot d'esprit. Il m'appelle bientôt « la sainte », avec un clin d'œil en ta direction. George, Gerald, même Thoby, se joignent à cette moquerie. Je me sens prisonnière de cette appellation, mais je ne sais comment me venger. Tout le monde semble oublier la possibilité que tu sois, de ton côté, une diablesse.

Première semaine de juillet. Les malles sont prêtes et attendent dans l'entrée. Nous nous entassons dans la voiture qui doit nous emmener à la gare, les bras chargés de livres, de bêches, de filets à papillons, de battes de cricket, de boîtes de pastels et de chapeaux de paille. Je suis assise tout contre la vitre. Les hirondelles se croisent comme des navettes incontrôlées et traversent le bleu céruléen du ciel. Tout l'hiver, nous avons attendu ce moment.

Dans le train, tout le monde parle en même temps. Nous comptons les gares, nous tendons le cou pour apercevoir la mer. Papa pose ses livres et prend la main de Maman.

En vacances à St. Ives, nous renonçons à la rigidité de nos horaires londoniens. Les invités vont et viennent selon la volonté des chemins de fer et non en vertu du rythme immuable des repas et des heures de visite en vigueur à la maison. Même Papa semble dégagé de l'impitoyable fardeau de travail qui l'oppresse à Londres, il trouve le temps pour les promenades, les excursions, les jeux. Fait sans précédent, on nous accorde la liberté quasi totale d'explorer le jardin et la plage voisine. La maison est lumineuse et bien ventilée, les chambres s'ouvrent les unes après les autres comme des boîtes en origami. À partir de tous ces aménagements hétéroclites, Maman réussit à créer un cadre accueillant.

C'est ici que je vis vraiment. Je passe le reste de l'année enfermée comme Perséphone, sans voir l'horizon, et en échange de ce sacrifice, ma récompense est un soudain baptême de lumière. Comme un prisonnier assoiffé, j'absorbe le soleil. Tout au long de l'été, j'essaye de le mettre en bouteille, d'en constituer des réserves, de le capturer dans mes esquisses, afin de le rapporter à Londres et de m'en nourrir pendant les lugubres mois d'hiver. À St. Ives, j'ai la liberté de dessiner et de peindre du matin au soir. C'est ici que je fais mes premiers exercices sérieux, la main guidée par Stella, tandis que je découvre de nouvelles formes pour remplir l'obscurité.

Thoby a l'air ridicule avec son costume, comme s'il essayait de jouer le rôle d'un adulte. Maman glisse un mouchoir propre dans sa poche et redresse son col. Puis elle nous fait signe d'approcher. Nous lui serrons la main, conscients de notre maladresse. Papa se montre en haut de l'escalier et ajoute une injonction finale à ces adieux. Nous regardons Thoby disparaître dans sa voiture.

Avions-nous envie de le suivre à l'école ? C'est une question compliquée. Une partie de moi avait envie de s'arracher à notre sombre maison pour aller découvrir la vie, mais une autre partie s'accrochait à cette prison, réticente à abandonner le modèle familier. Il ne fait aucun doute que son départ a scellé encore plus solidement le pacte qui nous unissait. Toi et moi, nous sommes devenues le miroir l'une de l'autre, alors que nos leçons et nos promenades marquaient les contours de ces journées où l'on nous demandait de nous débrouiller par nos propres moyens. Nous passions des heures seules ensemble dans le petit jardin d'hiver – tu lisais à haute voix pendant que je dessinais –, et des heures à rester éveillées dans nos lits jumeaux, la nuit, avec tes récits pour seule lueur dans l'obscurité sans faille. Aujourd'hui encore, quand je lis, c'est ta voix et non la mienne que j'entends, son timbre et ses inflexions colorent les pensées qui s'agitent sous mon crâne quand je dérive vers le sommeil.

Notre complicité avait quelque chose d'arrogant. Chacune n'admettait que l'autre comme référence, nous n'avions aucun guide extérieur pour nous conseiller, aucun frein pour limiter notre imagination et nos illusions. Nous étions sans merci pour les erreurs d'autrui. Métamorphosées par la fabrique de ton génie descriptif, les faiblesses et les défauts de notre entourage devenaient les étais bien nécessaires à consolider notre image de nous-mêmes.

C'est toi qui possédais les mots. C'est toi qui savais t'emparer d'un incident pour le décrire de manière à en révéler l'essence. Je n'ai pas tes talents. Si tu étais ici, tu saurais comment raconter cette histoire. Tu trouverais un moyen de pénétrer jusqu'à la vérité et d'inscrire tes trouvailles dans des mots d'une telle poésie que notre cœur chanterait tout en pleurant.

Pâques. Nous traversons le parc comme d'habitude, nous nous arrêtons pour admirer les crocus qui jaillissent comme une éruption de lave dans la croûte des plates-bandes brunie par l'hiver. Sur le chemin, près du lac, Mrs Redgrave s'approche de nous dans son fauteuil roulant ; selon toi, elle ressemble à une pièce de musée mal conservée. Quand nous pénétrons dans la salle, miss Mills nous fait signe depuis sa chaire, son crucifix brille sur le gris ardoise de sa robe. Les autres filles se rassemblent et miss Mills exige notre attention.

– Qui peut me dire quel jour nous sommes ?

Sa voix a quelque chose de craintif, elle nous supplie de l'écouter et de l'aimer, ce que tu trouves exaspérant. Tu marmonnes entre tes dents. Julia Martin s'avance :

– C'est le vendredi de Pâques, miss Mills.

Radieuse, miss Mills lève les yeux vers le plafond, comme si elle communiquait avec une puissance supérieure.

– Exactement. Le jour où notre cher Seigneur est mort sur la croix. Vendredi saint.

– Saint ?

Je t'entends ricaner, moqueuse. Du bout du pied, tu dessines un point d'interrogation dans la poussière.

– Qui parle ?

Lorsqu'elle comprend que c'est toi, miss Mills prend la mine d'un capitaine assailli, qui sait par expérience que l'escarmouche sera difficile.

– Qu'y a-t-il, Virginia ?

Elle serre les lèvres d'un air décidé. Son expression inspire ton sens du ridicule, et tu te fourres la manche dans la bouche pour t'empêcher de pouffer. Un instant après, je suis moi-même prise d'un fou rire, mes épaules s'agitent quand j'essaye de masquer mon hilarité. Nous restons toutes deux tête baissée, alliées contre l'absurdité du monde.

On nous apprenait à devenir des dames. Comment avais-tu formulé cela un jour ? Nous devions vénérer l'ange de la vertu, dont l'abnégation était telle qu'il n'avait aucun besoin personnel. On nous le donnait sans cesse en exemple, c'était notre but, notre aiguillon sans relâche. L'ange nous faisait honte quand nous étions incapables de l'imiter, l'ange faisait obstacle à toutes les ambitions que nous pourrions avoir. Pas étonnant donc que tu l'aies assassiné, que tu aies planté la pointe de ta plume dans son cœur impossible et parfait.

Il est quatre heures. Je m'arrête à l'entrée du salon et je tire sur ma jupe pour la remettre droite. Papa me lance un regard noir. Je remarque une tache de peinture sur ma main et je la cache dans mon dos. Je m'installe sur le canapé à côté de Maman. On frappe à la porte, c'est le premier invité. Le numéro habituel commence. Nous sommes deux poupées mécaniques, toi et moi, manipulées par un marionnettiste invisible. Nous écoutons et observons, nous en disons juste assez pour que la balle de la conversation continue à rebondir de part et d'autre de la table. Nous en sommes les gardiennes malgré nous, nous devons la maintenir en mouvement, refoulant le désir éventuel de la projeter hors de son orbite ou de la laisser se reposer un moment. Nous devons l'envoyer vers la jeune femme timide dans le coin, en dosant notre force afin que la balle se pose assez doucement pour l'encourager à lever sa raquette et à se joindre à la partie. Nous devons la soustraire au monopole de nos tantes qui se la renvoient avec des airs de conspiratrices, empêcher les jeunes gens assis avec Papa de la dérober pour étaler leur érudition.

Tu es meilleure que moi à ce jeu. Tu maîtrises l'art du déguisement. Je suis stupéfaite quand je t'écoute tresser tes sarcasmes en entrelacs si charmants que ton interlocuteur ne sait plus si tu lui adresses des compliments ou des injures. Il me manque ta subtilité, ton talent.

Plus tard, tu devais noter l'impact que cette discipline du thé avait eu sur ton écriture, bridant constamment ton inspiration. Tu avais néanmoins les mots à ta disposition et tu as trouvé un moyen de survivre. Pour moi, ce fut différent. Je devais puiser précisément en cette partie de moi-même où je me sentais le moins à l'aise. J'étais toujours à court de choses à dire, je m'aventurais dans des territoires que je savais m'être interdits, je m'y exposais aux reproches, ou du moins je risquais d'échouer sur les rives d'un mutisme interminable. Je copiais de plus en plus Maman, j'adoptais son silence attentif en guise de vêtement pour ces après-midi d'apprentissage.

Malgré notre mépris, nous nous instruisions. Jeunes, sérieuses, avides de plaire, nous étions comme des oisillons cherchant les indices permettant de voler. Il nous arrivait de voir danser devant nous, dans l'espace, la queue des cerfs-volants de nos vies, et nos cœurs palpitaient à ce spectacle. Nous avions hâte de faire le saut qui nous permettrait de partir à leur poursuite, mais nous nous accrochions à la sécurité du nid.

Tu cherches sur la berge des pierres pour en remplir tes poches. Je pense à toi ce jour-là, contemplant le flux rapide de la rivière, les branches des arbres encore nues gravées à l'eau-forte sur le gris spectral du ciel. J'essaye de me représenter ce qui s'est passé dans ta tête. T'es-tu souvenue de moi, de Leonard, des enfants, lorsque tu as laissé ta canne sur la berge pour t'avancer dans l'eau tourbillonnante, ou ne pensais-tu absolument qu'à fuir ce que tu ne pouvais plus endurer ?

Tu vois, même après toutes ces années, je me demande si tu m'aimais vraiment.

2

C'est Stella qui nous réveille. La flamme de sa bougie projette des ombres fantomatiques sur le mur. Je comprends aussitôt que c'est grave. Je me redresse dans mon lit, je jette mon peignoir sur mes épaules et je glisse mes pieds dans mes chaussures. Tu t'enroules dans un châle, frissonnant de froid. Une fois prêtes, nous suivons Stella vers la chambre de Maman. Sur le pas de la porte, nous nous donnons la main. Papa est assis à côté du lit, la tête entre les mains. Devant la fenêtre, le docteur Seton discute avec George et Gerald. Deux infirmières arrangent les oreillers de Maman. Le silence se fait quand nous entrons. Nous restons près de Stella, qui met un bras autour de nous. George s'avance et nous dit que nous devons tous embrasser Maman l'un après l'autre. Il tend la main à Adrian et l'emmène à son chevet. Je vois Adrian se pencher pour baiser la joue de Maman, tout en serrant les doigts de George. Quand George te conduit vers le lit, les yeux de Maman s'entrouvrent. Elle te regarde un instant avec calme. Puis ses yeux se referment.

À présent, c'est mon tour. Je me baisse pour embrasser le front de Maman et j'entends le bruit affreux de sa respiration. J'ai besoin qu'elle me parle. J'ai besoin qu'elle m'explique ce qui se passe. J'ai besoin de l'entendre dire qu'elle m'aime. Ses yeux restent résolument clos. Je sens sur mon bras la main de George et je me laisse entraîner à l'écart.

Je suis assise et je contemple le plancher. Je ne supporte pas de regarder le lit. J'entends les oiseaux chanter près de la fenêtre. J'ai face à moi la coiffeuse de Maman ; j'examine sa boîte à bijoux, ses photographies, son carnet et son stylo plume. Dans l'oblique du miroir, je distingue le reflet de Maman. Dans la pénombre, son visage est presque transparent. Je l'étudie comme s'il s'agissait d'une peinture, je note la pâleur de sa peau, la façon dont ses cheveux se divisent au-dessus de son front. J'essaye de déterminer comment je la dessinerais. Les orbites de ses yeux sont marquées d'ombres noires et l'arc de la lèvre supérieure est si prononcé que la lèvre inférieure semble presque y disparaître.

Je sens que la pièce s'éclaire. Toujours dans le miroir, je regarde le docteur Seton soulever le poignet de Maman pour lui prendre le pouls. Il hoche la tête, puis repose le bras sur les draps. Papa pousse un gigantesque hurlement de rage.

Je m'enfuis.

Blotties dans le salon, nous ne savons pas comment continuer. Nous sommes comme des silhouettes dépouillées de toute forme, de toute couleur, de toute vie. Les rideaux sont tirés pour masquer la lumière froide du printemps. George pleure, assis près de la cheminée. Gerald observe ses mains sans rien dire. On entend les sanglots frénétiques de Papa, à l'étage au-dessus. Stella entre dans la pièce, portant une cruche de lait chaud et une bouteille de brandy. Tu contemples le feu, les yeux dans le vague. Ce qui vient de se produire dépasse notre entendement.

Nous sirotons le lait chaud. L'idée commence déjà à naître en moi que la mort de Maman aurait pu être évitée. J'imagine le docteur Seton, toujours pressé, confiant aux infirmières le soin de sa patiente. Je me rappelle Papa, épuisant Maman à force d'exigences perpétuelles. Tu l'as parfaitement rendu dans ton roman, quand tu racontes comment, de son bec affamé, il a fini par assécher l'énergie de son épouse.

Le visage de tante Mary grimace une imitation de chagrin. Elle tend la main et, quand je la lui serre, m'écrase avec réticence contre sa poitrine. Ses perles de jais me blessent la joue.
– Ma pauvre chérie, dit-elle en roulant les yeux au ciel.
Elle sent le camphre et le cold-cream. Apercevant Ellen qui descend l'escalier, elle me lâche pour ôter son manteau. Puis elle me fait entrer dans le salon.
– Promets-moi une chose, commence-t-elle en prenant place dans le fauteuil près du feu. Promets-moi une chose : c'est moi que tu viendras voir si tu as une petite question ou un problème.
Elle s'adosse plus confortablement aux coussins.
– Maintenant, parlons de vos leçons. Qui surveille vos progrès au piano ? Je connais un professeur extraordinaire qui serait tout à fait ravi de vous donner des cours particuliers. J'espère que vous ne voyez plus cette horrible Mrs Watts.

Des années plus tard, à l'exposition de la Royal Academy, c'est Sargent qui déclara qu'il trouvait mes peintures trop grises. Pourtant, celle qui me semble le mieux évoquer cette époque n'a rien de sombre. Une ligne noire la traverse en diagonale, séparant le bleu presque monochrome de la partie supérieure de la blancheur sale de la zone centrale. J'avais le sable et la mer dans les yeux quand j'y travaillais, mais quand je la regarde aujourd'hui, c'est autre chose que je vois. Le bleu est si complètement coupé du blanc que cette peinture semble représenter deux univers différents. Au premier plan, dans le coin gauche, contre ce blanc stérile, se dresse un triangle brun-jaune, un rocher, peut-être, à l'ombre duquel sont assises deux silhouettes. L'une des deux est plus grande que l'autre ; les vêtements et la posture suggèrent une mère et son enfant. Elles sont représentées de dos et l'on ne voit de la mère que son manteau et le dessus de son chapeau. L'enfant porte les mêmes habits, mais son chapeau penché a un air guilleret qui est entièrement absent de la silhouette de la mère. Cette forme a quelque chose de vide, comme si la présence vitale de la mère était éteinte, en quelque sorte. Face à eux, à droite, près de la ligne de démarcation, une grande forme lumineuse, devant laquelle se tient une femme en bleu dont les longs cheveux pendent dans le dos. À ses pieds, un groupe d'enfants accroupis, occupés par leurs jeux. Je pense à la cabine de bain où Maman se changeait, mais, en revoyant cette toile, ce n'est pas cela que je vois. Ce qui domine le tableau, aujourd'hui, c'est la lumière céleste de cet objet isolé. Comme si la femme était dévorée par son éclat. Il y a une étendue nue sur laquelle les enfants concentrent leur attention, tandis que la mère se glisse dans le bleu intense. Pourtant, je n'ai jamais imaginé Maman au paradis.

– Te manque-t-elle ?

Je sais aussitôt que j'ai eu tort de poser cette question. Stella penche la tête au-dessus de sa couture, pour tâcher de dissimuler son désarroi. J'ai envie de reprendre mes mots, d'annuler le mal dont je suis responsable. Depuis la mort de Maman, Stella m'est devenue indispensable et je ferais tout pour éviter de lui causer de la peine. Je sais combien elle est fatiguée. La nuit, je l'entends se lever pour aller apaiser les crises de Papa, tourmenté par le deuil. C'est Stella qui gère la maisonnée, à présent. Je me rends compte que, pour coudre, elle plie le cou exactement comme Maman en avait l'habitude.

– Ginia a encore crié dans son sommeil, la nuit dernière.

La ruse fonctionne. Stella lève la tête et me regarde.

– As-tu pu comprendre ce qu'elle disait ?

– Pas grand-chose.

– J'en reparlerai au docteur Seton.

L'inquiétude de Stella est évidente. Je n'ai pas le choix, je dois continuer.

– Je pense qu'elle disait : « Tiens-toi droite, petite chèvre. »

Nous sommes deux mères, réunies par la sollicitude que nous inspire notre protégée.

– Je me demande ce que cela signifie.

Stella attrape les ciseaux et coupe le bout de son fil. Elle brandit la chemise qu'elle reprise pour inspecter le résultat.

– Je suis soulagée que Papa ait accepté de ne pas envoyer Adrian en pension. Je crois qu'il ne le supporterait pas.

Elle replie la chemise avec soin et prend le vêtement suivant sur la pile.

– Et toi, Nessa, où en est ton dessin ? J'ai bien aimé les lys que tu as peints.

Je rougis de plaisir. Le col que je brode paraît soudain auréolé de lumière. Je pense aux lys, aux contours chantournés de leurs pétales, à leur forme solide de trompette. Pour la première fois depuis des semaines, je sens un soupçon d'espoir.

Tu es debout sur l'appui de la fenêtre, les bras déployés comme un ange exterminateur. Tu me dévisages quand je viens vers toi. Tu cries que si je m'avance davantage, tu te jetteras à travers la vitre. Ta main cherche un objet qui te permettrait de briser le verre. À terre, les débris d'une assiette que tu as lancée contre le mur. Tes hurlements cessent et je vois ton corps trembler. Lentement, tendrement, tu me laisses te mener jusqu'à ton lit.

Je dessine une pomme oubliée par Stella sur la table. Tu es couchée sur le ventre et tu sembles endormie. De temps en temps, je t'entends gémir. Tu n'as rien mangé depuis deux jours. La lumière se répand par la fenêtre, projetant à terre des barres d'ombre.

– Elle nous dissoudra tous.

Je m'interromps et je lève les yeux. Tu t'es redressée sur les coudes et tu contemples la lumière qui inonde ton oreiller.

– Veux-tu que je ferme les rideaux ?

Ma voix est un murmure. Cela fait longtemps que tu n'as plus rien dit qui soit intelligible.

– Oui.

Je vais tirer les rideaux, puis je m'approche de ton lit. Tu te retournes face à moi.

– Elle m'a dit de me tenir droite.

Tu prononces ces mots comme s'il s'agissait d'une question à laquelle tu désespères de pouvoir jamais répondre.

– Crois-tu que les oiseaux chantaient pour elle ?

Je m'assieds sur le lit et je te caresse les cheveux. Dans mes bras, tu es aussi vulnérable qu'un enfant.

Je m'évade trois jours par semaine. Ah, le bonheur délirant de claquer la porte derrière moi pour m'élancer dans l'agitation grouillante des rues ! L'air me caresse les joues quand je descends Queen's Gate à bicyclette. Je croise des couples en promenade, des bonnes d'enfants, des hommes en costume gris partant travailler, et j'ai le sentiment d'avoir un but dans la vie.

Les pupitres sont disposés en demi-cercle. Au centre, un buste de marbre est posé sur une colonne. Mr Cope, le professeur de dessin, s'arrête devant chaque élève, regarde, donne des conseils, modifie parfois un trait. Il règne un silence concentré alors que nous contemplons l'objet placé devant nous. Ce que nous tentons n'est pas un simple transfert. Nous n'essayons pas de reproduire le buste. Nous nous efforçons de transmettre ce que nous voyons : le rapport de cette sculpture avec l'espace alentour, l'angle de la lumière qui fait disparaître une partie de la joue. Et c'est infiniment plus difficile.

Le visage est celui d'une déesse grecque, Artémis, peut-être, ou Aphrodite. Je m'attarde sur la mâchoire et le cou, en essayant de comprendre la relation qui les unit. Mr Cope vient se planter derrière moi. Il m'observe mais n'intervient pas. Il sait que je dois y arriver seule et il me laisse mener moi-même cette bataille.

Je me plonge dans l'énigme de mon dessin. Je lutte avec l'espace et la forme, l'ombre et la lumière, le contour et la texture. J'en oublie ta souffrance, le chagrin de Papa et les soucis de Stella. Les aiguilles de l'horloge tournent. Je finis par reculer d'un pas pour examiner mon travail. J'examine l'arcade du nez, l'angle de la bouche, l'inclinaison de la gorge et des épaules. Je hoche la tête. Je suis contente de ce que j'ai produit. J'ai donné vie à ma déesse.

La lumière du vitrail fait danser des rectangles de couleur sur le sol de pierre de l'église. Je ne vois partout que des visages tendus pour apercevoir la mariée. Jack est déjà à l'autel. Nous attendons sous le porche avec Stella, nous tâchons de faire taire Papa qui prétend qu'on l'abandonne, et nous guettons le signal du prêtre. L'orgue entonne enfin sa marche et nous nous avançons dans l'allée centrale.

Je ne peux détacher mes yeux de Stella. Elle a quelque chose de différent. Je la regarde marcher devant moi, au bras de Papa, adressant de petits signes de tête aux invités assemblés, et je cherche mes mots pour la décrire. Elle ressemble à une somnambule qu'on aurait tirée de sa transe. Lorsqu'elle rejoint Jack près de l'autel, ce n'est plus une jeune fille ployant sous le devoir mais une femme transformée. Dans les vœux qu'elle prononce, j'entends comme une promesse : la vie peut continuer sans Maman.

L'oiseau paraît tellement vivant que j'en ai le souffle coupé. Je tire le carnet d'esquisses vers moi et j'étudie ce dessin. Je note la précision des lignes, le dégradé complexe des plumes, le détail parfaitement observé de l'œil, du bec et des pattes. Sentant mon admiration, Thoby tourne la page, et je découvre une série de dessins plus petits, du même oiseau.

– C'est par eux que j'ai commencé. Je savais ce que je voulais mais, pour débuter, c'était plus facile de le représenter sous différents angles.

Je sais exactement ce que Thoby veut dire et j'acquiesce.

– Oui. Souvent, c'est en dessinant que je comprends comment je vais devoir procéder. Même si je sais exactement ce que je veux. Comme s'il fallait d'abord repousser toutes les autres possibilités.

Thoby ne répond pas et préfère me montrer une autre de ses esquisses. Cette fois, c'est un rouge-gorge, dont le poitrail est rehaussé au pastel.

– Celui-ci m'a donné un mal fou. Je n'arrivais pas à trouver la bonne couleur.

– Le pastel, c'est dur, dis-je avec compassion.

– Oui, c'est dur, mais c'est la difficulté qui fait tout l'intérêt ! La nature est si diverse.

Je viens me placer plus près de la bougie. Les tourments des mois passés semblent effacés dans les ténèbres qui nous entourent. Thoby a le bras autour de mes épaules et, en me penchant vers sa chaleur, je sens battre son cœur. J'aimerais que ce moment dure toujours.

Une porte claque quelque part dans la maison et j'entends des pas dans le vestibule. Ton visage apparaît dans l'encadrement de la porte.

– C'est donc là que vous êtes !

Tu ne fais rien pour dissimuler ton déplaisir.

– Je vous ai cherchés partout. Que faites-vous ?

Tu t'approches de la table et tu jettes un coup d'œil au rouge-gorge.

– Ah, des dessins, dis-tu.

Je sens que Thoby s'éloigne.

– Je suis contente de te trouver, en tout cas. J'ai relu *Antoine et Cléopâtre*.

Tu dévisages Thoby.

– Vraiment je ne comprends pas pourquoi tu dis que les héroïnes de Shakespeare sont des créatures extraordinaires. J'ai l'impression qu'elles sont découpées avec des ciseaux. Ce sont moins de vraies femmes que la vision sur mesure de ce que les femmes devraient être, aux yeux d'un homme.

Tes propos ont l'effet souhaité. Thoby s'en prend à toi.

– Ce que tu dis n'a aucun sens ! Elles ne sont pas du tout comme ça !

Ses yeux brillent de plaisir à la perspective d'une joute intellectuelle.

– Allons, ironises-tu, tu vas devoir prouver mieux que ça ce que tu avances. Je t'accorde qu'elles parlent divinement. J'ai regardé le passage où Cléopâtre rêve d'Antoine et j'en ai eu des frissons dans toute la colonne vertébrale. Mais tout ça ne les rend pas plus réelles.

Je n'écoute plus. Je me dirige vers la fenêtre. Tout ce que je vois, c'est votre reflet à tous les deux. J'appuie mon front contre la vitre et je laisse tes mots se déverser, comme s'ils n'avaient pas plus d'importance que les gouttes de pluie que je vois courir sur la paroi de verre. Je sais que tu vas monopoliser Thoby pour le reste de la soirée. Tu passeras de Shakespeare aux Grecs puis aux romantiques, et à chaque transition, je serai plus fermement exclue. Le carnet de Thoby restera fermé entre vous. J'attends que mon front soit aussi froid que la vitre, puis je quitte la pièce. Vous ne remarquez ni l'un ni l'autre que je ferme la porte derrière moi.

Dans son enveloppe, la lettre rayonne d'amitié. Je beurre ma tartine et je médite sur ce qu'a écrit Margery. Sa décision de laisser un moment la peinture de côté afin de faire des progrès en dessin m'intéresse. Je pense à Cope, qui insiste sur l'importance de la ligne, et je me demande si je devrais en faire autant. Soudain, j'ai envie d'être devant mon chevalet. Vous vous disputez une fois de plus, Adrian et toi, et je sais que si je reste je finirai par être impliquée dans votre querelle. Je termine mon toast et je repousse ma chaise. Tu lèves les yeux. Tu étais si accaparée par ton attaque contre Adrian que tu n'as pas vu ma lettre. Tu la regardes fixement.

– Une lettre ? De qui est-elle ?

Tu tends la main. J'hésite. Même ça, je n'ai pas envie de te le dire.

– De Margery.

– Margery ! Quelle crise traverse-t-elle à présent ? J'imagine qu'elle te la décrit en détail, avec quantité de fautes d'orthographe. Je ne connais personne d'autre qui martyrise la langue anglaise avec autant de constance. Cela mériterait un prix !

Je ne dis rien. Adrian se concentre sur son petit-déjeuner, heureux d'échapper enfin à ton emprise étouffante.

– Lis-nous sa lettre. J'ai bien besoin de me distraire un peu.

Gerald entre dans la salle à manger. Il prend place en face d'Adrian et lui adresse un sourire triste. Il n'a toujours pas pardonné à Adrian, le benjamin, d'avoir été le préféré de Maman. Il a entendu ta remarque et porte sur toi un regard inquisiteur.

– Qui parle de se distraire ?

– Nessa a reçu une lettre de la divine Margery, dis-tu d'un air désinvolte. Et nous mourons d'envie de découvrir la dernière calamité dont elle est victime.

– Margery ?

Le front de Gerald se plisse lorsqu'il tente de se rappeler de qui il s'agit.

– Snowden, avances-tu.

– Ah, une de celles qui font de la peinture. Oh oui, écoutons donc ce qu'elle a à raconter. Il y a de la marmelade ?

Gerald s'est embarqué avec toi. Je contemple lamentablement mon enveloppe.

– C'est un courrier personnel, dis-je timidement.

– Raison de plus. Ce qui est personnel est toujours délicieux. Allons, lis-la-nous.

Je t'ignore. Je passe à Gerald la marmelade. Puis je prends l'enveloppe et me lève. Tu me suis hors de la pièce, ce qui me contrarie plutôt.

– Ness ?

Tu as pris un ton suppliant. Je dois répliquer, je le sais.

– C'est à moi que cette lettre est adressée. Je pense que tu n'as pas à voir ce que Margery m'a écrit.

Tu tressailles. Tu n'aimes pas que j'aie des secrets pour toi.

– Elle ne va pas bien ?

Tu parais soucieuse mais je me méfie, c'est peut-être une nouvelle ruse. Je décide de rester ferme.

– Elle va très bien. Elle veut simplement m'informer d'une décision qu'elle a prise concernant la peinture.

Je sais aussitôt que j'ai commis une erreur. J'ai mentionné un autre de ces domaines que nous ne partageons pas.

– Tu es injuste. Je te montre toutes les lettres que je reçois.

– Il serait peut-être temps d'arrêter. Nous devons avoir des intérêts et des amitiés en dehors de la famille.

Tu me dévisages. Une nouvelle idée se forme dans tes yeux.

– Mais cette Margery... Elle n'est vraiment pas digne de toi, Ness. C'est l'une de ces femmes dont la vie se traîne d'erreur en erreur, qui essayent de suivre le rythme de celles qu'elles cherchent à imiter. Elle te prend ta substance.

Ne voyant rien à répondre à ta jalousie, je tourne les talons.

– Ne pars pas !

J'entends la panique dans ta voix, mais je n'ose pas céder. Si je te lis cette lettre, tu la ridiculiseras, tu la démoliras jusqu'à ce qu'il ne me reste rien pour te menacer. Je pousse l'enveloppe dans ma manche et je monte l'escalier.

– C'est le fait qu'elle doive rester debout.

Tante Minna pose sa tasse sur la table. Son col amidonné craque lorsqu'elle se penche vers la théière.

– Je te ressers, Leslie ?

Papa ne réagit que par un grognement. Depuis une demi-heure, il a les yeux perdus dans le vide, et son silence n'est interrompu de temps à autre que par un gémissement. Tante Minna n'a pas encore renoncé à son objectif, elle s'est promis de le ragaillardir et elle interprète ce grommellement comme un oui.

– Passe-moi la tasse de ton père, veux-tu, Virginia, tu seras gentille.

Tu lances à tante Minna un regard noir et je vois que tu as mal pris sa remarque stupide. Tante Minna continue à babiller.

– Écrire me semble être une bien meilleure activité pour une femme. Le corps est soutenu et, tant qu'on veille à s'asseoir bien droit, le dos ne subit aucune pression. Je ne crois pas qu'il puisse être bon pour Vanessa de passer ses journées debout devant un chevalet. As-tu pensé, ma chérie, à l'impact sur ton maintien ?

J'ignore tante Minna. Je sais qu'elle ne veut que mon bien. Je te regarde prendre la tasse de Papa et la lui passer. Ta mine furieuse ne laisse aucun doute.

C'est seulement plus tard que je comprends l'étendue de ta colère. Pour ton anniversaire, tu demandes à Papa un lutrin afin de pouvoir écrire debout. Tu refuses d'admettre que mon art puisse être le plus difficile des deux.

Il est tard quand j'entre dans notre chambre. J'essaye de terminer une toile et, dans ma préoccupation, j'ai oublié l'heure. Je t'ai vue monter te coucher, mais je ne m'attends pas à te trouver endormie. Je décide de te parler des problèmes de composition avec lesquels je me débats.

Quand j'ouvre la porte, la pièce est plongée dans les ténèbres. Je me dirige à tâtons vers ton lit, le temps que mes yeux s'habituent à l'obscurité. En m'approchant, je distingue une forme inattendue. Je découvre à ma grande stupeur que c'est George. Il bondit aussitôt.

– Te voilà enfin, Nessa. Je tenais compagnie à Ginny, tout simplement.

Sa voix est pincée, tendue, comme s'il avait du mal à contrôler son souffle.

– Eh bien, je vais vous laisser dormir. Bonne nuit, chères sœurs. Comme je vous envie vos lits poussés l'un contre l'autre. Ce doit être un grand réconfort pour toutes les deux.

J'entends couiner ses chaussures lorsqu'il s'éloigne. Je vais vers toi. Tu es allongée, le visage enfoui au creux de tes bras. Une pensée terrible me traverse l'esprit.

– Il n'a pas... Tu sais...

Ta réponse est si faible que je dois me pencher pour l'entendre.

– Non. Non. Rien de ce genre.

Je sens un frisson dans ta voix.

– George vient-il ici souvent quand je suis en bas ? Est-ce qu'il essaye de... te toucher ?

Tu ne réponds que par un sanglot affreux.

L'araignée est immobile au milieu de sa toile. Elle est de l'autre côté de la fenêtre et des gouttes d'eau se sont accumulées sur ses fils poisseux. Elles scintillent à la lumière. Le vent souffle en rafales dans le jardin, à une vitesse effrayante. Soudain un grand craquement retentit. Une branche de l'un des arbres s'est arrachée. J'observe la toile. L'araignée est toujours là, les fils intacts. Leur ténacité m'émerveille. On croirait qu'un soupir suffirait à les déloger, mais ils tiennent bon alors que le chêne s'écroule.

J'arrive au salon, consciente de l'image que j'offre. Je suis enveloppée dans une robe de voile blanc brodée de strass noir et argent que la lumière fait éclater en minuscules arcs-en-ciel. J'ai autour du cou des opales et des améthystes, des papillons d'émail sont épinglés dans mes cheveux. Je suis tendue, dans l'expectative. Debout devant la cheminée, George se tourne vers moi quand j'entre dans la pièce. Il lève son verre et me jauge. Aucune différence entre ce geste et le regard par lequel il évalue la jument arabe qu'il m'a achetée et que je monte chaque jour. Je cherche une protection auprès de toi. Tu lis à côté de Papa. Quand tu détaches tes yeux de la page, je vois que je suis transformée.

Dans la voiture qui nous emmène à la fête, George ne dit pas un mot. Il appuie sa tête contre le dossier et fume son cigare. Je regarde par la vitre le collier des réverbères. Je sens que nous allons vivre un moment de la plus haute importance.

Les salles sont illuminées. Nous restons un moment sur le balcon et nous contemplons les danseurs sur la piste, en contrebas. Les couples tournoient en brillants assemblages, aussi élégants que les papillons dans mes cheveux. J'aimerais continuer à les regarder. J'aimerais pouvoir observer ce monde avant d'y pénétrer. George arrange les plis de ma robe et me serre le bras.

Plusieurs têtes se tournent vers nous lorsque nous sommes annoncés. George ne desserre pas son étreinte sur mon coude. Il me pilote à travers la foule et s'arrête devant un homme au visage en lame de couteau. Il a des projets pour moi.

– Vous venez d'arriver, Duckworth ?

Les deux hommes se serrent la main.

– M. Chamberlain, permettez-moi de vous présenter ma demi-sœur, miss Vanessa Stephen.

Je vois la main se tendre vers moi. Je sens sur ma nuque l'haleine chaude de George, qui m'impose l'obéissance. La main se rapproche, menaçante, impérieuse, impatiente, en attente. Je suis immatérielle et ridicule dans ma robe. Je prie pour que l'un des danseurs qui virevoltent près de nous s'empare de moi et m'entraîne au loin. Je serre la main lamentablement. Je ne trouve rien à dire.

Nous repartons de bonne heure. Sans un mot, George m'aide à monter dans la voiture. Je sais qu'il est en colère. Il attend que nous ayons démarré pour exploser.

– Pourrais-tu m'expliquer ton comportement ? J'imagine que ça t'amuse, d'insulter les gens. Tu sais de qui il s'agissait ?

Je baisse la tête. Les réverbères ne sont que des taches floues sur les vitres humides du fiacre.

– Et tes cheveux étaient épouvantables ! Tu ne pourrais pas les maintenir relevés avec des épingles ? Il faut que tu apprennes à te servir de ces pinces que je t'ai achetées.

Pauvre George ! Mes silences étaient inacceptables dans les cercles où il évoluait, mais paradoxalement, ta faculté de conversation l'était tout autant. Ce dîner où tu as essayé de parler de Platon avec les gens parmi lesquels il t'avait placée fut une humiliation pour lui comme pour toi. Si seulement il n'avait pas misé à ce point sur notre succès ! Si seulement il nous avait laissées nous orienter nous-mêmes sur l'océan social où il nous avait lancées, au lieu de nous forcer à avancer et à sombrer, les choses auraient pu être différentes. En repensant à cette époque, je ne puis tout à fait le blâmer. Je soupçonne que nous devons à son attitude un peu de ce que nous avons accompli par la suite. Les harangues perpétuelles de George, ses rappels constants de notre rang et de nos devoirs, tout cela intensifia ce qui aurait pu rester le simple désir vague d'une alternative.

Si j'écrivais une œuvre de fiction au lieu de chercher à discerner la vérité, alors la mort de Stella, venant si vite après celle de Maman, donnerait l'impression que l'auteur a délibérément chargé la barque. Quand Stella revint de sa lune de miel, émaciée et atteinte d'un mal incurable, le glas sonna sur l'espoir de voir la vie nous offrir de nouvelles possibilités. Comme s'il fallait payer l'éveil dont nous avions été témoins le jour de son mariage. Accrochés les uns aux autres à mesure que la vie fuyait son corps, nous apprîmes que le bonheur était fugitif.

Le nœud coulant des tâches ménagères se resserre autour de moi. Personne ne me dit que je dois chaque matin me tenir sur le seuil pour faire signe à Adrian qui part pour l'école, personne ne me dit que je dois chaque soir porter son lait chaud à Papa, mais je sens que si j'y manque, le pas pesant dont marche notre maisonnée finira par s'arrêter. Je n'ose pas m'autoriser à penser à Stella. Si je tente de dormir, mon esprit se peuple d'images terrifiantes. Le travail est mon seul refuge. Je peins jusqu'au moment où je suis si fatiguée que je peux à peine tenir mon pinceau. Puis je me couche et je m'oblige à poursuivre le tableau dans ma tête.

La seule personne que j'aie envie de voir, c'est Jack, le mari de Stella. Il nous rend visite presque tous les soirs et je le reçois dans le salon. Je fais ma couture dans le fauteuil de Maman pendant qu'il me raconte sa journée. J'aime sentir qu'il me regarde.

– Vous semblez fatiguée, Nessa. Je suis sûr que vous en faites trop, dit-il un soir.

Je n'ai pas l'habitude qu'on me traite avec autant de sollicitude.

– Je m'inquiète pour Adrian. Il a une méchante blessure à la jambe. Je pense parfois que, dans un champ où il n'y aurait qu'un seul obstacle, Adrian le trouverait et s'y blesserait. Tous les enfants sont-ils si sujets aux accidents ?

Cela ne me ressemble pas de me confier ainsi. Jack tend la main et presse doucement la mienne.

– Vous ne devriez pas avoir tout ce poids sur vos épaules. Votre père vous délègue trop de responsabilités. C'était pareil avec Stella.

Quand Jack prononce ce nom, je le supporte. Je laisse ses doigts caresser les miens.

Je guette chaque visite de Jack. Aussitôt le dîner fini, je monte arranger mes cheveux. Je les passe derrière mes oreilles, puis je les réunis en un chignon. Maman portait ses cheveux rassemblés sur la nuque, alors que Stella empilait les siens plus haut sur le crâne. J'expérimente les deux styles. De ton lit, tu me regardes en fronçant les sourcils. Tu devines que je le fais pour Jack et ça ne te plaît pas. Un soir où j'essaye une broche sur ma poitrine, tu ne peux plus te contenir.

– Il ne le remarquera même pas ! Pourquoi perds-tu ton temps avec lui ?

Tu t'exprimes comme une enfant irascible. Tout à coup, tu éclates de rire.

– M-m-m-ma chère, asseyez-vous d-d-donc et rep-p-posez-vous un p-p-peu.

Ta parodie du bégaiement de Jack me blesse. Au lieu de me joindre à ta plaisanterie, j'aimerais te gifler. Je passe devant toi, dans un silence censé traduire mon mécontentement.

La lettre où tante Mary me conseille de ne plus voir Jack est si ridicule que j'ai envie de la brûler. Mais je l'emporte dans la salle à manger et je la jette sur la table. Revenu à la maison pour les vacances, Thoby la voit.

– Que se passe-t-il, Ness ? On dirait que tu viens d'être frappée par la foudre.

– C'est le cas. Je viens d'ouvrir cette lettre de tante Mary qui se mêle de décider qui je dois avoir pour ami.

George, encore en robe de chambre, bâille et s'étire paresseusement.

– Si elle fait allusion à Jack, je dois avouer que je suis de son avis. Après tout, ce serait une union illégale. Un homme n'a pas le droit d'épouser la sœur de sa défunte épouse.

Je suis abasourdie. Mes sentiments pour Jack n'ont jamais pris un tour aussi défini. Je cherche du secours auprès de Thoby.

– George a raison, tu sais. Tu ferais mieux de ne plus voir Jack.

Cette fois, c'est bien la foudre qui m'atteint. Dans mon émoi, je laisse mon couteau glisser à terre. Tu te baisses pour le ramasser.

– Fariboles ! Si c'est ce que dit la loi, alors il faut la changer. On est très loin de l'inceste.

Tu dévisages froidement George, le mettant au défi de saisir la perche pour pouvoir l'entraîner dans une discussion dont tu sortirais victorieuse. Mais c'est Thoby qui répond.

– Tout de même, je pense que vous devriez écouter tante Mary. Elle ne veut que notre bien, et il est vrai que si Ness voulait épouser Jack, cela provoquerait le pire des esclandres.

– Pardon, mais depuis quand tante Mary veut-elle notre bien ? La vigueur de ton soutien me surprend.

– Tante Mary n'a pas pensé une seconde au bonheur de Nessa.

Tout ce qui la tracassait en écrivant cette lettre, c'était sa propre réputation. En fait, je regrette un peu que Stella n'ait pas eu davantage de maris. Si j'avais moi aussi épousé l'un d'eux, nous aurions pu toutes les deux enfreindre la loi.

Et tu me restitues mon couteau avec un clin d'œil.

Violet vient nous voir. Sa haute taille, exagérée par sa tenue dépenaillée, court à notre rencontre. Quand elle nous tend les bras, je ne peux m'empêcher de me rappeler que c'est Stella qui nous l'avait présentée. Nous allons dans le salon nous installer au coin du feu. Tu t'assieds aux pieds de Violet, le dos contre ses jambes. Violet ne tourne pas autour du pot, elle va droit au but.

– Je pensais à vous deux, coincées dans cette maison lugubre. Je suis sûre que le mieux pour vous serait d'en partir. J'en ai parlé avec Ozzie. Pourquoi ne venez-vous pas habiter chez moi, pour un moment, du moins, jusqu'à ce que vous y voyiez plus clair ? Je pourrais m'occuper de vous.

Je vois la main de Violet descendre pour te caresser les cheveux. Tu poses la tête sur ses genoux et tu fermes les yeux. Je me mets soudain à penser à Adrian, à Papa, à Thoby. C'est comme si j'avais parlé tout haut.

– Je sais que vous êtes inquiètes pour Adrian, mais vous ne pouvez ni l'une ni l'autre lui tenir lieu de mère. Et puis, quand vous serez toutes les deux parties, les hommes n'auront qu'à se débrouiller.

Je souris malgré moi à l'idée de Papa vivant seul.

– Enfin, mes chères, la décision vous appartient. Je suis sûre que cela vous ferait du bien à toutes les deux. Nous pourrions bien nous amuser ensemble.

Dans la soirée, je réfléchis au projet de Violet. La perspective de renoncer à l'entretien de la maison est assez séduisante.

– Billy, tu dors ? Irons-nous vivre chez Violet ?

Je t'entends te redresser dans le noir.

– C'est une idée absurde ! Qui s'occuperait de Papa ? Et il faut penser à Adrian !

Il y a quelque chose qui sonne faux dans le ton que tu prends.

– Je me demandais si nous pourrions proposer à tante Caroline de nous remplacer.

– Tante Caroline ? Tu sais comme elle exaspère Papa ! J'aimerais bien mieux que rien ne change. Après tout, je peux voir Violet aussi souvent que je veux.

Je n'insiste pas. Je ne suis pas assez sûre de moi pour essayer de te convaincre. Je me recouche sur mon oreiller et je me rappelle l'expression de ton visage quand tu laissais Violet te caresser les cheveux. Une nouvelle idée me vient.

– Je ne te crois pas. Je pense que tu veux garder Violet pour toi toute seule !

– Entrez !

En s'ouvrant, la porte révèle un déluge de papiers. Le sol est jonché de feuilles volantes couvertes de l'écriture de Papa. Les rideaux sont à demi tirés pour protéger la pièce de la lumière et mes yeux mettent quelques instants à s'adapter à la pénombre. Papa est à son bureau, entouré de livres. Il y a des livres alignés sur les étagères fixées au mur derrière lui, des livres ouverts par terre devant lui, des livres empilés en tours instables à ses pieds. Il lève la tête quand j'entre.

– Les comptes, Papa.

Je lui tends le carnet. Il le prend et fait la grimace. Ses sourcils se rejoignent tandis que son doigt suit les colonnes de chiffres qu'il m'a fallu tant d'heures pour construire. Son doigt s'arrête sur l'une des lignes.

– Qu'est-ce que c'est que ça ? Des fraises ! Tu as laissé Sophie commander des fraises en mai ?

Papa détache les yeux de l'objet du scandale et ses soupçons me terrassent. J'ouvre la bouche pour expliquer. Je veux lui parler de l'air que prend Sophie dès que je tente de la contredire. Je veux lui avouer mon inexpérience. Je veux lui demander son aide. Il s'est déjà replongé dans la lecture des comptes.

– Du saumon ! Tu voudrais me faire croire que le poisson de mardi dernier était du saumon ? Mais regarde donc le prix, ma fille ! Pourquoi cette extravagance ? Du merlan n'aurait-il pas suffi ?

Je contemple le plancher. Je pense au lierre qui s'enroule autour de la fenêtre de la cuisine et au reflet vert sur la joue de Sophie lorsqu'elle a fait taire mes protestations au sujet du poisson. Mon silence semble inciter Papa à continuer.

– Tu restes immobile comme un bloc de pierre ! N'as-tu rien à me dire ?

Je pense au trou dans ton manteau, à l'argent que je dois trouver pour les serviettes hygiéniques et la térébenthine. Je ne peux faire entrer aucune de ces choses dans la grille rigide que Papa a conçue.

– Veux-tu me ruiner ?

Papa referme le livre d'un claquement sec et le pousse vers moi. Je songe à l'attitude qu'il aurait, rationnelle, d'homme à homme, si George ou Thoby lui présentait les comptes à ma place.

– Ne peux-tu imaginer ce que je vis à présent ? Es-tu à ce point dépourvue de pitié ?

Le bec de Papa s'acharne sur moi. Je sens qu'il m'arrache des morceaux de chair, affamé de compassion.

Je suis finalement relâchée. Je sors sur le palier, accablée par mon échec. Tu es assise sur la dernière marche. Je devine à ton visage que tu as écouté notre conversation. Tes yeux m'expriment ta sympathie, ton impuissance à me venir en aide.

– Qu'il aille au diable !

La lumière diminue dans ton regard et je comprends que je suis allée trop loin. Tu détournes les yeux. Tu n'es qu'en partie ma complice. La position de tes épaules, le brusque mouvement de ton bras, tout cela m'indique que, même si tu reconnais sa tyrannie, tu aimes encore Papa.

Je lève la tête de mon livre et je tente de scruter à travers les allées du passé. Il me semble aujourd'hui extraordinaire que nous ayons survécu à cette époque. Tu étais la seule à qui je pouvais avouer un peu de ce que je ressentais. La seule qui partageait mon rêve. En secret, mais avec une volonté toujours accrue, nous esquissions une vie où chacune serait libre de pratiquer l'art qu'elle avait choisi.

Ni l'une ni l'autre n'avait compris l'ampleur du sacrifice ainsi consenti. Nous trouvâmes l'apaisement en exagérant nos différences mutuelles, en renonçant à toute prétention sur le domaine de l'autre. Toujours moins habile que toi avec les mots, je te les abandonnai entièrement. Je m'emparai de la peinture.

3

Parfois je poignarde Papa, parfois je l'étouffe avec son oreiller, parfois c'est le mélange mortel de médicaments que je concocte grâce aux fioles de sa table de nuit qui le tue. Ma méthode varie, mais le rêve prend toujours la même forme. Je suis dans le vestibule, la porte est ouverte devant moi, quand j'entends la voix de Papa. Je reste un moment sur le seuil, à goûter la chaleur du soleil sur mon visage. Sur le trottoir d'en face, un enfant part en courant, échappant à sa nurse. J'envisage de le rejoindre dans sa course vers la liberté, après avoir claqué la porte sur l'appel tremblant de Papa. Je soupèse mon chapeau dans mes mains. L'enfant et la nurse disparaissent. Je referme la porte et je vois la lumière s'évanouir. Puis je monte jusqu'à la chambre de Papa. Je m'arrête devant sa porte et je regarde autour de moi. Personne ne doit être témoin de mes actes. La tête de Papa pivote vers moi lorsque j'entre. Je le tue rapidement, sans effort. Je le fais sans le vouloir et il ne tente même pas de résister. Comme un pacte qui s'accomplit entre nous. Je me dirige vers la fenêtre, j'ouvre les rideaux et je laisse la lumière inonder la pièce. Puis je me réveille.

Ensemble, nous regardons les porteurs du cercueil descendre Papa dans le sol gelé. Tes yeux m'ont avertie, mais je ne puis m'empêcher de pleurer. Je comprends à tes regards que tu es résolue à garder le souvenir d'un homme meilleur qu'il ne l'était, que tu effaceras de ta mémoire toutes ses tyrannies médiocres, tous ses appels à la compassion. Je trouve ridicule que tu éprouves ces sentiments maintenant que nous sommes enfin libres. Je prends la bêche que me passe Thoby et je laisse la terre tomber en cascade dans la tombe de Papa.

– Le roi, dis-tu tout à coup, s'est arrêté sous ta fenêtre et t'a raconté toute cette histoire sordide.

Étonnée, je lève les yeux. Tu pointes vers moi un doigt accusateur.

– Voilà ! cries-tu en bondissant hors de ton lit. Voilà la coupable ! Arrêtez-la !

J'ignore à qui ces mots s'adressent, mais ils ont pour effet de faire accourir l'infirmière. Elle te maîtrise en plaçant le bras autour de ta poitrine et te persuade de retourner te coucher. Elle me fait signe que je devrais m'éclipser.

Je cesse d'écrire pour regarder les oiseaux picorer le lard que Grace a jeté sur la pelouse. J'entends leurs rapides oscillations sonores malgré la fenêtre fermée. Ils gazouillent en grec, as-tu expliqué quand je t'ai laissée aux soins de ton infirmière, mais le sens de leur chant est selon toi parfaitement clair.

Je ne comprends pas vraiment pourquoi, mais je pense que ta folie m'a protégée. Quand j'écoutais ton délire, mon esprit se réfugiait dans les choses du quotidien : un rayon de soleil sur ta coiffeuse, les nuages se pourchassant à travers le ciel. Comme si tes visions se substituaient à mes sentiments, pour me permettre de continuer à vivre.

Cette année-là, nous partîmes seuls pour les Cornouailles. Il faisait un temps superbe, je m'en souviens, et nous parcourions des kilomètres de chemins côtiers, Thoby, Adrian et moi. Tu refusais de venir marcher avec nous. Un jour, la mer était si déchaînée que j'ai enlevé mes chaussures et mes bas pour faire quelques pas dans les flots écumants. Le vent s'acharnait sur mes cheveux, ma jupe tournoyait autour de moi et, en contemplant les torrents jaillissants, je me sentais capable de tout. En revenant, nous te trouvâmes cloîtrée dans le salon, plongée dans l'un des livres de Papa. Tu avais à moitié fermé les rideaux. Thoby et Adrian se turent en pénétrant dans cet intérieur lugubre.

– Que lis-tu, Ginny ?

Tu soulèves le livre assez haut pour que j'en voie le titre. Un recueil d'élégies.

– Les vagues sont divines. Tu aurais dû nous accompagner.

C'est maintenant Thoby qui reprend le combat. Il s'installe sur le canapé, la peau radieuse de soleil.

– Oui, nous aimerions nous procurer une barque et aller au phare de Godrevy demain.

La bonne humeur de Thoby enhardit Adrian. Tu restes obstinément silencieuse, ton livre brandi devant toi comme un sarcasme. Thoby finit par ôter ses pieds du canapé, il se met debout.

– Je vais voir où en est le déjeuner. J'ai une faim de loup !

Il lance un coussin à Adrian et les deux garçons sortent de la pièce en se poursuivant. Je m'attarde un moment, consumée de culpabilité. C'est seulement sur le pas de la porte que j'entends ta voix.

– Il n'y aura pas moyen d'aller au phare demain. On prévoit de la pluie.

Paris. La simplicité audacieuse de Manet. Les surfaces appliquées comme des aplats de couleur : marron, jaune citron, bleu pâle. La lumière qu'on laisse imprégner la peinture, si bien que l'essence du sujet est saisie.

Le comptoir s'incurve en partant du mur, occupant le centre du café. À un bout, un grand vase de fleurs, gueules-de-loup écarlates, zinnias violets, pivoines blanches grosses comme des soucoupes, dentelles de la gypsophile, pavots d'un rose crépusculaire, marguerites jaunes à longues tiges. Tout le long du bar sont alignés de hauts tabourets en bois, pour la plupart occupés. Derrière le zinc, le tenancier rince des tasses sous un robinet. C'est un homme à la poitrine large, à l'opulente chevelure noire, qui porte autour de la taille un tablier blanc maculé de graisse. Sur le mur, des étagères où s'empilent les bouteilles, les paquets de cigarettes, les pots à tabac, les assiettes. Un serveur circule entre les tables, tenant son plateau très haut au-dessus de sa tête. Partout, le bruit de discussions animées, passionnées.

Thoby est assis, le dos contre la fenêtre. Ses cheveux épais bouclent sur son front. Les bras croisés sur la poitrine, il observe la scène avec un plaisir évident. Le serveur apparaît et dépose sur notre table une corbeille de pain et une carafe de vin rouge. Clive, qui nous a divertis en nous racontant ses tentatives pour consulter des archives officielles, s'arrête de parler et prend un morceau de pain. Il en mord une bouchée qu'il mâche d'un air songeur.

– Quel est donc le mystère du pain français ?

Il tient la tartine comme s'il s'agissait d'un objet de vénération.

– Comment se fait-il qu'un aliment aussi ordinaire puisse être aussi délicieux lorsqu'on le mange dans un contexte convivial ?

Radieux, il nous adresse un large sourire de conspirateur. Sa peau est presque blanche sous les belles teintes auburn de ses cheveux.

– Il n'y a même pas de beurre !

Clive profite de la raillerie de Thoby pour se lancer dans un exposé sur les iniquités des mœurs anglaises. Ses mots d'esprit et l'agilité de son discours nous font tous rire. Notre soupe arrive alors qu'il parle encore. J'en étudie le riche coloris foncé. Je détecte du persil, de l'oignon, de la ciboulette fraîche. Je dévore. Quand je relève la tête, je m'aperçois que tu as repoussé ta soupe sur le côté. Je devine le désagrément que te cause cette nourriture inhabituelle, le dégoût que t'inspirent les taches sur la nappe, les soudains éclats de rire gutturaux qui montent des tablées nombreuses. Tu ne t'amuses pas, tes yeux me l'indiquent, et tu veux que je partage ton malaise. Je regarde Clive, Thoby, les gesticulations rapides d'un homme qui raconte des plaisanteries au bar, et je décide de t'ignorer.

Une femme entre dans le café, les bras chargés de roses. Elle adresse un hochement de tête au tenancier et se dirige vers notre table. Elle a vu que nous sommes étrangers et elle nous prend sans doute pour des proies faciles. Elle s'approche de Clive. Elle a autour des épaules un châle brodé de fleurs et d'oiseaux exotiques. Elle se penche au-dessus de Clive pour lui caresser la joue. Il rit de cette liberté.

– Les roses. Mais bien sûr ! Il faut des roses !

Le plaisir qu'il prend à parler français est évident. Il sort son portefeuille et pose une poignée de francs sur la table. La femme lui propose sa marchandise.

– Les dames d'abord.

Clive examine les roses, puis glisse la main dans la masse et en extrait deux. Il m'en tend une avec un geste chevaleresque. Les pétales enroulés serrés, le rouge vif de la fleur m'émerveillent. Indifférente à cette offrande, tu poses à côté de ton verre la rose de Clive. Il en choisit une troisième, coupe la tige et l'insère dans la boutonnière de Thoby. La femme récupère la pile de pièces et va montrer son bouquet à la table voisine.

– Voilà ce que j'aime chez les Français ! Leur sens du plaisir. Leur amour des fleurs. C'est ce que j'admire chez Manet. Il aurait peint cette femme, sous tous ses différents angles. Il n'y aurait eu ni pose, ni falsification. Nous l'aurions telle qu'elle est, avec l'accroc à sa robe, son déhanchement lorsqu'elle passe entre les tables, son sens du commerce associé à une inépuisable joie de vivre !

Je me laisse entraîner par l'enthousiasme de Clive. Nous commandons encore du vin. Le serveur nous débarrasse et pose devant nous des assiettes de poisson grillé, la peau luisant d'huile et de jus de citron. La fumée de nos cigarettes se déploie en gigantesques panoramas de terres inexplorées.

Une infirmière en uniforme blanc ouvre la porte. Tu es debout à la fenêtre. Tu te retournes lorsque j'entre dans ta chambre. Tes cheveux te tombent dans les yeux et on dirait que tu ne t'es pas changée depuis longtemps. Il y a des taches sur ton chemisier et une grande déchirure dans l'ourlet de ta jupe. Je sais qu'il vaut mieux s'abstenir de tout commentaire. J'attends que l'infirmière nous laisse seules. Tu contemples mes chaussures tandis que je m'approche. Je pose sur le lit étroit les paquets que je t'ai apportés et je commence à les déballer.

– Voici les livres que tu demandais dans ta lettre, mais quand j'ai parlé au docteur Savage, il m'a répété que tu n'avais le droit de lire que très peu de temps chaque jour.

J'empile les volumes sur la commode, à côté de ton lit, et je m'assieds. Je sens que tu m'observes. Tu te diriges vers le meuble et tu prends l'un des livres que tu serres contre toi comme un vieil ami. C'est le récit des voyages de Richard Hakluyt.

– Savage aimerait bien me conserver dans du coton, ou dans l'équivalent médical de la ouate. Ne voit-il pas que c'est tout ça qui me rend malade ?

Ta main désigne vaguement une étagère soutenant plusieurs verres à moitié vides, chacun garni d'une étiquette.

– Véronal, chloral, paraldéhyde. Un somnifère pour annuler les effets néfastes de la digitaline. Du bromure pour compenser le somnifère. Un antalgique contre la migraine que cause le bromure. Le tout à avaler avec quinze verres de lait par jour.

Tu fais demi-tour pour me regarder.

– Tu sais qu'il veut me faire arracher les dents ?

Soudain, j'ai honte. Je me revois écrivant au docteur Savage pour l'autoriser à poursuivre son traitement, tout à fait convaincue par sa description des poches de bactéries qui se forment dans les dents et de l'impact qu'elles peuvent avoir sur le système nerveux. Tu ouvres le Hakluyt.

– Merci.

Ta voix est humble, une petite fille reconnaissante après une faveur. Je ne le supporte plus et je te tends la main.

Nous nous blottissons l'une contre l'autre sur le lit. Les murs de l'hôpital s'évanouissent et nous revenons à une époque où nous étions deux petites filles, seules dans la nursery. Tu es mon bouc, mon wombat, ma souris. Je caresse ton doux pelage soyeux et je sens ton museau sur ma joue. Tes lèvres gourmandes de singe ont faim et tes dents me grignotent douloureusement la gorge. Je dégrafe ma robe et ta bouche de bébé me tète le sein. Je suis redevenue ta maman dauphin, rendue luisante et poisseuse par tes baisers. Je t'emmènerai au fond de l'océan, là où personne ne pourra nous faire de mal.

Je traverse les pièces désertes, mon carnet à la main, et je m'arrête devant chaque meuble, chaque peinture, chaque bibelot ou photographie dans son cadre d'argent. Parmi tous ces éléments de notre ancienne vie, je dois choisir ceux que nous emporterons et ceux que nous jetterons. Tout en examinant chaque objet pour faire le tri, j'ai l'étrange impression d'abandonner le passé. Comme si cette évaluation ôtait les couches successives de la mémoire. Je dois oublier l'image de Maman qui flotte dans mon esprit lorsque je regarde son fauteuil. Mes critères sont pratiques et esthétiques. Ce fauteuil est-il utile ou beau ? S'il n'est ni l'un ni l'autre, je décide de le vendre. Il ne faut pas que mon jugement soit influencé par le souvenir de Maman cousant dans son fauteuil.

Bloomsbury a maintenant si mauvaise réputation ! À l'époque, son principal attrait était d'offrir une maison que nous pouvions nous payer et d'être éloignés de nos tantes. Quand j'y repense à présent, je vois que ce déménagement a marqué un tournant. J'avais pourtant opté pour ce quartier presque par hasard.

Je suis incapable de m'habituer à tout ce jour qui se déverse par les fenêtres de notre nouveau logis. Je m'agenouille sur le plancher nu et je laisse le soleil m'inonder. Je veux m'en délecter, me purifier dans ses rayons, être aiguillonnée par sa luminosité. Dans ces pièces claires et simples, les objets acquièrent une vie nouvelle. Le grain somptueux et la marqueterie délicate de l'écritoire de Maman sont révélés pour la première fois. C'est comme si je réapprenais à voir. Les couleurs rayonnent sur les murs blancs, et il suffit pour remplir une pièce de jeter un des châles indiens de Maman sur un canapé, ou de dérouler un tapis rouge devant la cheminée. Cela ne va pas sans quelques surprises. Les volumes reliés cuir de la bibliothèque de Papa ont l'air splendides sur les étagères en bois brut. Je déballe les photographies de Maman et, après une heure passée à essayer divers emplacements, je décide de les accrocher dans le vestibule. Je découvre des angles inattendus, des facettes inconnues de son visage. Dans ce nouvel espace, même le passé semble différent.

Un mur orangé enflammé par le soleil, le rougeoiement des charbons ardents. Mes couleurs rugueuses comme de la toile à sac chatoient comme du satin. Dans le coin supérieur droit de mon tableau, un carré rose pâle bordé de bleu. L'affrontement entre le rose et l'orange est violent, frappant, superbe. Je l'atténue légèrement en ajoutant du blanc au rose, mais très peu. Je ne veux pas diminuer l'effet. Sur la gauche, j'ajoute une série de rectangles. Certains s'entrecroisent, d'autres sont isolés. J'en peins deux en bleu, l'un dans un marine vigoureux, l'autre plus pâle, tempéré par la même pointe de blanc que le rose. Je ne soigne pas les contours. Voilà trop d'années que les détails m'écœurent. Ce qui m'intéresse, c'est l'impact de la couleur. Je veux la sensation immédiate, la vision complète des formes et des nuances qu'on a lorsqu'on entre dans une pièce.

Au centre de mon tableau, je peins un unique rectangle. D'un écarlate opulent, avec des traces plus foncées de vermillon. Éblouissant, frétillant sur le fond orange. C'est le corollaire de Papa, l'antidote à tout ce que nous avons laissé en arrière. Je jubile de son audace. Je tourne mon attention vers les deux rectangles restants. Je peins l'un en vert bleuté, couleur sauge un peu crayeux. Pour l'autre, je choisis un solide bordeaux.

Je suis fascinée par la façon dont les deux rouges s'évitent et s'appellent. Parfois, quand je recule par rapport à ma toile, je ne vois rien d'autre. La manière dont l'orange recule sous leur impact me stupéfie. Pour l'instant, je m'identifie au rectangle central. Je suis audacieuse. Je crée les espaces dont j'ai besoin. Je suis maîtresse de ma maison.

Je ne t'ai pas oubliée. Je t'écrivais tous les jours. Je te suppliais de bien manger et de te reposer, la litanie des médecins. Je t'ai préparé un bureau, je t'ai trouvé une table et une chaise, j'ai disposé tes livres. En même temps, j'étais reconnaissante envers Violet de t'avoir hébergée. Je n'aurais pas pu affronter seule ta convalescence.

Ta perte de contrôle fut un mélange de manipulation et d'impuissance. En me laissant le fardeau, tu veillais à ce que je reste à la place de Maman, que je te materne, que je te gâte, alors que nous aurions toutes les deux pu renoncer à ces rôles. J'étais une complice facile. Il m'arrivait de vouloir échapper à cette emprise, d'essayer d'y mettre un terme, mais mon existence n'était pas séparée de la tienne.

Je tourne le kaléidoscope de la mémoire, je regarde les formes glisser et retomber. La vérité n'est jamais agréable. Dans ta défaillance, il y avait autant de soulagement que de terreur. Les dieux avaient entassé sur toi trop de dons. Le vermillon foncé dans ton écarlate t'avait fait perdre l'équilibre, permettant à mes propres teintes plus pâles de briller.

Cela m'amuse aujourd'hui de penser aux débuts si humbles de ce qui allait devenir si scandaleux, si controversé, si révéré par certains et si attaqué par d'autres. Le temps a recouvert de plusieurs épaisseurs de mythe et de jalousie ce qui avait commencé si simplement. Une poignée de jeunes gens et deux jeunes femmes agitées, mal à l'aise, assis autour d'une cheminée. Si tu écrivais ceci, tu saurais brosser ce portrait, tu y emploierais ta merveilleuse faculté d'observation, ta vivacité et ton esprit, ton génie pour résumer l'essentiel en quelques traits suprêmement maîtrisés. Tu saurais montrer le parapluie magnifiquement replié de Saxon, les cadences heurtées du débit de Lytton, les mains tremblantes de Leonard. Tu jouirais des longs silences gênés qui précédaient si souvent nos discussions, les toux nerveuses, les yeux rivés au sol, puis une remarque au hasard, sur la beauté peut-être, ou sur la vérité, un mot lancé en l'air, projeté par ici puis par là, jusqu'à ce que s'érige tout un édifice complexe d'argumentation et de contre-argumentation.

Mon cœur battait quand je voyais ta contribution s'entrelacer à la trame en pleine expansion. Ton originalité me divertissait autant que quiconque. Nous complotions de nouveau ensemble. Moi j'accueillais et je présidais, ton agilité intellectuelle te rendait éloquente et téméraire. Je prenais plaisir à regarder les autres se pencher en avant, désireux de te saisir, inspirés par ce que tu disais. Je me réjouissais de tes triomphes. Ton plaisir s'exerçait sous ma juridiction, pour mon amusement. J'étais reine sous mon propre toit.

On m'a reproché mon insularité, mon refus d'ouvrir mes portes à un cercle plus large. Je n'ai pas d'excuses à formuler. Nous avions trop longtemps vécu sous l'emprise des autres. C'était une liberté délicieuse que de pouvoir choisir qui nous fréquentions et dans quelles conditions.

Je suis vieille maintenant. Mes doigts sont tordus par l'arthrite. Je regarde ma main et j'essaye de me rappeler ce qu'elle était, la peau lisse et sans rides, les articulations charnues. Maintenant, je la trouverais belle. Maintenant, je reconnaîtrais sa mobilité sensuelle. À l'époque, je ne pouvais pas. S'entendre dire aussi souvent et aussi froidement qu'on était séduisante, comme si c'était un devoir, comme si de lourdes sanctions y étaient associées, voilà qui étouffait le peu d'orgueil que j'aurais pu tirer de ma propre puissance. Rien d'étonnant si nous étions à l'aise avec les amis de Thoby, ces sodomites, comme tu les appelais, canaille. Pour eux, notre aspect physique n'était ni une invite ni un défi. Ils passaient outre, tendant la main généreuse de l'amitié par-delà les masques de l'identité sexuelle. Ils nous accompagnaient dans notre voyage de découverte de soi. Leur approbation fit naître certaines parties de nous-mêmes qui n'avaient rien à voir avec le sexe.

Ce n'est pas tout à fait vrai. Il y a autre chose qui entrait en jeu pendant ces discussions tardives, qui émergeait en surface, scintillant comme les premières lueurs roses du soleil étalant ses rayons à l'horizon. J'avais déjà été témoin de cette aurore, lorsque Stella avait épousé Jack. Et voilà que mon tour était venu.

Je suis étendue sur le canapé, un morceau de soie enroulé autour d'un bras. C'est une chute, je viens de me coudre une robe. Le tissu est d'un rouge cerise intense, si beau que je n'arrive pas à le jeter. Je le drape autour de mes épaules, puis j'essaye de m'en faire un turban. Tu écris, à la table près de la fenêtre. J'entends grincer ta plume sur le papier. Je repense à notre conversation de la veille au soir. La voix flûtée de Lytton qui chancelait en parlant de l'amour. En levant les yeux de ma couture, je me suis aperçue que Clive me dévisageait avec ardeur. J'ai soutenu son regard quelques instants, et j'ai soudain éprouvé une euphorie grisante, comme si je voyais un Tintoret pour la première fois. Je ferme les yeux pour retrouver cette sensation et, quand je les rouvre, je suis frappée par mon reflet dans le miroir, au-dessus de la cheminée. La tête enturbannée de soie, j'ai l'air d'une impératrice, majestueuse, suprême, vautrée sur sa couche. J'ai un bras plié derrière la nuque, et l'angle amplifie la courbe de mes épaules et de mes seins. Je suis voluptueuse, déesse de l'amour, charnelle et hardie.

Tu t'en es rendu compte, toi aussi. Tu t'es arrêtée d'écrire, captivée par mon image. Nos yeux se croisent, planent un moment avant que les tiens ne plongent. Tu retournes à ta page, le front plissé par l'agacement. Tu n'aimes pas cette sœur inconnue. J'échappe à ton contrôle. La soie rouge de mon foulard nous coupe l'une de l'autre. Je suis aussi choquée que toi par mon reflet dans le miroir, mais je ne puis en détacher mes yeux. J'ai envie de m'attarder sur cette nouvelle personnalité, d'y réfléchir pour en explorer les possibilités inédites. J'écoute le grattement furieux de ta plume.

Je peins sur un panneau de bois, assez grand pour un nu couché. J'enroule les bras au-dessus de la tête, en écho à son arrondi, puis je répète l'arche pour les seins et les cuisses redressées. J'allonge mon nu sur des vagues de bleu. Je veux donner l'impression que cette femme est suspendue, sur l'eau, peut-être, dans les airs. Je joue avec les couleurs. Je mélange le gris et le blanc à mon rose, j'ajoute des traces de violet et d'or. Je veux que la chair ait l'air toute neuve, comme si une créature marine avait été dépouillée de sa coquille. Je remplis rapidement l'espace situé au-dessus, à grands traits de turquoise et d'outremer. Rien ne doit distraire l'attention de la présence de ce corps. Je veux simplement fermer l'espace. Je recule et je contemple ce que j'ai fait. La zone autour du nu est encore trop vide. Je regarde mes couleurs. Je décide de dédaigner complètement la vraisemblance. Mon pinceau a envie de rouge. J'écrase du carmin sur ma palette et je le mélange avec mon couteau. Cette fois, je peins des sphères. Je transforme les arcs de cercle en pavots, en fleurs grandes ouvertes. Leurs étamines noires forment des anneaux frais sur le rouge. Il manque encore quelque chose. Il reste sur mon pinceau un peu de noir des étamines et je trace une ligne entre les pavots, pour les attacher ensemble. Je recule et j'observe. Oui, le fil réunit le tout. Mon tableau est achevé.

Ils entrent dans la pièce, par groupes de deux ou trois. Henry arrive avec Nina à son bras, suivis par Beatrice et Ka. Je repère Gwen qui parle avec Marjorie dans un coin, Mary et Silvia à la fenêtre. Pas de cérémonie. Aujourd'hui Clive a accepté de parler de l'émotion en art, mais je ne suis pas pressée qu'il commence. Je m'installe sur un tabouret et je regarde autour de moi. La moitié de mes invités est éprise des innovations des Français, l'autre moitié en est horrifiée. Cela m'est égal. Ce qui compte, c'est notre passion pour l'art. Je pense au bon mot de Papa, pour qui la peinture n'était que la sœur bâtarde de la littérature, et je me demande quand tu vas faire ton entrée. Tu as déjà laissé entendre que tu n'aimais pas mes réunions du vendredi. Au petit-déjeuner, quand j'ai voulu savoir si tu écouterais le discours de Clive, ta réponse avait simplement pour but de me faire mesurer toute l'importance de l'article auquel tu te consacres en ce moment. J'attends que la plupart des invités soient là, puis j'adresse un signe à Clive. Il prend place dans le fauteuil au coin du feu et exige le silence.

Tu apparais alors que Clive commence à parler. Je savais que tu ne pourrais rester à l'écart. Tu te perches sur un coussin, près de la porte, et je vois que tu es captivée par ce que Clive a à dire. Je te vois tendre le cou, désireuse d'en capter davantage. Tu aimes te moquer des peintres, mais je te sens intriguée par les commentaires de Clive sur la composition. Quand il aura terminé, tu remonteras dans ta chambre et tu méditeras sur ce que tu as entendu. Tu appliqueras ses préceptes à ton écriture. Malgré tout le dédain que tu affectes, c'est mon art qui te montre la voie.

Costumes de lin blanc et feutres gris. Parasols blancs doublés de vert. Sur le pont du navire avec Violet, nous regardons les falaises d'Angleterre se fondre en une brume lointaine. Ce voyage est la réalisation d'un rêve. Depuis des semaines, j'étudie l'architecture et la sculpture grecques, je visite les antiquités grecques du British Museum. Nous remontons au berceau de la civilisation. Nous irons seules jusqu'à Patras, où Thoby et Adrian doivent nous rejoindre. Je contemple les chenaux que le bateau creuse à travers l'eau transparente et j'essaie d'y voir clair dans mon esprit. J'ai repoussé la demande en mariage de Clive. Même si je suis sûre d'avoir raison, les termes de sa lettre roulent dans ma tête comme les tourbillons qui se forment contre la coque, comme le soudain mal de mer qui s'empare de nous tandis que la côte disparaît. Clive ne me déplaît pas. Au contraire, sa générosité simple, sa faculté de trouver son plaisir dans presque tout ce qu'il rencontre, ce sont là des qualités que j'admire depuis longtemps. Je le vois assis devant la cheminée, l'étendue de sa conversation est un baume, comparée aux contributions corsetées de certains autres, et je me rappelle de quel œil il me regardait coudre. Je frissonne, bien qu'il fasse chaud sur le pont, et je boutonne mon manteau. Je n'ai pas envie de me marier. Je ne veux pas céder notre liberté toute récente. Notre voyage commence à peine. Je ne suis pas encore prête à revenir en arrière.

Mes pensées ondulent avec la ligne d'horizon. Tu t'étonnes de me voir préoccupée. Quand nous descendons l'Adriatique, je peins les groupes désordonnés de maisons qui s'accrochent aux collines du rivage, les roses et les orangés des bougainvillées et des hibiscus.

Alors même que nous approchons du port, je sais que quelque chose ne va pas. Une immense lassitude m'assaille quand nous montons sur le pont, de sorte que les quelques pas séparant la cabine de la passerelle semblent une distance insurmontable. Mes membres semblent s'être liquéfiés. Mon esprit caracole, saisit des fragments de conversation, des lambeaux de souvenir, comme une touffe d'herbe malmenée par le vent. Des images émergent du fond marin, dérivent un moment, puis sombrent dans les abysses. Maman dans sa robe verte vacille à la surface, puis se dissout et se transforme en tes yeux de jade, songeurs. Je vois Stella, Papa. Les formes qui normalement divisent les êtres sont submergées dans le bouillonnement des vagues.

Quand je repense aujourd'hui à cette époque, je me demande par quel mauvais coup du sort j'ai été privée de ma force, de ma capacité d'intervenir. Si seulement je n'avais pas été malade, peut-être ce qui s'est produit aurait-il pu être évité. À moins que ma maladie n'ait été une prémonition, une résurgence de la terreur qui fit irruption avec la mort de Maman, puis qui fit à nouveau surface lors de celle de Stella ? Était-ce une façon de me protéger de ce nouveau cauchemar ? Comme si, en perdant le contrôle, j'empêchais la souffrance de m'atteindre.

Thoby. Son sourire était mon sourire quand notre visage reflétait celui de l'autre, son corps était mon corps quand nous nous poursuivions sous la table de la nursery ou quand nous partions à la recherche d'un jouet. Lorsqu'on a décelé chez lui les symptômes de la typhoïde, je n'ai pas cru qu'il était gravement malade. J'ai refusé d'accepter sa mort. Comment pouvais-je admettre que ce qui faisait partie de moi n'était plus ? Les yeux secs, je contemplais son corps prêt pour les funérailles.

Une fois encore, c'est ton chagrin qui m'a permis de franchir ce gouffre saine et sauve. Pendant que tu pleurais, j'ai tourné le dos à l'abîme de la peur et de la désintégration. J'ai continué à vivre ma vie. J'ai écrit à Clive.

Chaque fois qu'il bouge, mon corps vibre à l'unisson, langoureux et félin. Malgré tout ce qui est arrivé ensuite, je n'oublierai jamais le cadeau que Clive me fit alors. J'essaye de trouver des images. Celles qui me viennent aussitôt à l'esprit sont éculées et imprécises, images de feu, d'eau ou de soudain bourgeonnement des arbres fruitiers au printemps. Ce fut comme si ses doigts délicats et experts avaient lentement ôté une couche de vernis terne, révélant les nuances et les textures de la peinture, si bien que le personnage avait enfin pris vie. J'ignorais qu'on pouvait ressentir autant de plaisir dans son corps. Nous avons passé de longs après-midi à apprendre les secrets du bonheur l'un de l'autre. Dans la chaleur de nos étreintes, nous capturions la vie et, ensemble, nous bannissions l'idée de la mort. Pour l'heure, nous étions invincibles.

C'est une ère nouvelle qui commence avec le cliquetis des sabots des chevaux, alors que je conduis la voiture que George a empruntée pour mon mariage. Je lisse les plis de ma robe en satin et je m'étonne de ce que je suis sur le point de faire. Je pense aux mises en garde de Maman, pour qui le mariage ne devait surtout pas être le but de la vie d'une femme. J'accomplis sa prophétie. Je rayonne, satisfaite, en songeant que j'ai mené cette affaire toute seule. C'est moi qui ai choisi l'homme que je vais épouser.

Je suis si heureuse que je remarque à peine la cérémonie. À la sortie de l'église, nous recevons une grêle de confettis. Clive me prend le bras et me guide à travers les groupes d'invités venus nous féliciter. En route vers la gare, je vois les rues à travers un voile d'espoir.

Nous arrivons trop tard pour le train. Clive arpente le quai, une cigarette à la bouche. Je me réfugie dans la salle d'attente. Je m'assieds sur le banc de bois dur et je regarde autour de moi. J'observe les aiguilles de l'horloge sur le mur d'en face. J'ai hâte de partir. J'entends Clive discuter avec le chef de gare. Un homme passe devant la fenêtre et soulève son chapeau, en hommage à ma robe de mariée. Je me sens vulnérable, tout à coup j'ai peur. Je prends mon sac et j'en sors mon carnet et mon crayon. Écrire me permet de recouvrer mes esprits. Je retrouve mon calme. Les boucles de mes lettres tissent le lien qui me rattache à toi.

« Chère Billy ».

4

On frappe à la porte. Clive tire le drap par-dessus nos têtes et place un doigt devant ses lèvres. Je me mords la joue pour m'empêcher de pouffer. Clive enroule une de mes mèches autour de son doigt.

La porte s'ouvre. Nous entendons des pas sur le plancher.

– Flagrant délit !

C'est Lytton. Clive grogne.

– Bon sang, on ne peut pas avoir une heure de tranquillité avec sa femme ?

– Ah ! Alors tu invoques le statut sacro-saint du mariage, à présent ? Pour ma part, je préfère l'honnêteté des sentiments... Dis-moi, y aurait-il dans votre boudoir une chaise qui ne soit pas entièrement occupée par vos habits ?

Clive repousse le drap et nous voyons Lytton, brandissant ma culotte au bout de sa canne. Il nous adresse une révérence, en agitant mon sous-vêtement comme un drapeau.

– Monsieur. Madame. J'espère que votre plaisir fut suprême.

J'appuie ma tête contre l'épaule de Clive et j'écoute les hommes se lancer dans un échange de plaisanteries. Mon audace me stupéfie. Je passe ma main sur la poitrine velue de Clive et je pense aux rigides codes de conduite qui régissaient le passé. Je songe à

Maman qui voulait nous apprendre l'abnégation lors de ces interminables après-midi de bavardage autour du thé, où il était impossible de dire ce que l'on pensait. J'ai passé ma vie à obéir aux ordres des autres et je me libère seulement maintenant. Sous le drap, je caresse avec un abandon éhonté la raideur croissante du sexe de Clive. Ici, je peux dire et faire ce qui me plaît. Je prévois pour notre salon des rideaux mauve et jaune, je décide de dédaigner l'invitation de tante Mary. Tout l'édifice des conventions a été rasé de fond en comble. Je porterai mon art jusqu'à ses limites.

Les personnages se penchent dans le même sens, les ovales des deux têtes sont inclinés ensemble. Je travaille la circonférence de l'épaule masculine, le cercle des pans de son habit qui se déploient derrière. Je crée sa tenue avec des traînées de couleur, violet, brun, noir, le plus pâle des verts nacrés. Mon danseur ne doit pas être statique. Il n'est que fluidité. J'enlace autour de lui le corps de la femme, répétant la courbe pour son flanc et sa cuisse. Elle passe le bras devant lui en un arc exagéré. Elle s'appuie sur lui, les yeux fermés, tandis qu'il la contient et la dirige. Pour sa robe, je mélange l'ocre au jaune moutarde, que j'applique en bandes épaisses. Elle est la bien-aimée, après tout. Elle doit avoir la place de choix. Je crains que mes personnages ne manquent de solidité. J'utilise du noir pour renforcer les contours, pour définir les traits des visages. J'accentue les lignes de la jaquette, les plis sombres de la robe plaquée sur la poitrine. La grille que j'ai dessinée pour diviser l'espace est encore visible. Je décide de la conserver. Elle situe mes personnages dans un univers à part. J'aime que le mécanisme de mon invention reste présent. L'arrière-plan doit être décoratif, gai. Je choisis les couleurs du sol, terre cuite, Sienne, ombre brûlée. Je concocte un cadre autour de mon couple, de nouveaux ovales. Mon treillage est à la fois ouvert et enveloppant. Les danseurs sont vulnérables. Il faut les protéger des démons de ce monde.

Je retire le papier de soie dans lequel les verres sont emballés et je les pose sur un plateau. Clive les a trouvés à Paris et nous les avons rapportés dans nos bagages. Ils sont anciens et chacun est un peu différent des autres. Quand j'ai terminé, je remets le papier dans la boîte et je regarde autour de moi. C'est à peine si je reconnais la pièce. Elle est pleine des choses achetées par Clive. Il y a de nouveaux tapis, de nouvelles armoires, de nouvelles chaises. Les rideaux mauves sont pendus aux fenêtres, leur doublure jaune animée par le soleil. Tout a l'air moderne, riche, vivant.

Mon portrait de Nelly Cecil est sur la cheminée. L'exécution en est un peu primitive par endroits, mais je suis contente du résultat. J'ai peint Nelly lisant près d'une fenêtre. Ses yeux et la masse sombre de ses cheveux sont accentués par le noir de sa robe et par les couleurs foncées de la draperie, derrière elle. J'ai l'intention d'exposer ce portrait. Je l'ai déjà montré à Margery, qui pense que c'est ce que j'ai fait de mieux jusqu'ici.

Tu arrives en avance. Tu restes sur le seuil, à observer les changements. Clive t'embrasse sur les deux joues. Tu te hérisses.

– Le récit que tu nous as envoyé nous plaît beaucoup.

Mon offrande de paix fonctionne. Clive m'adresse un clin d'œil par-dessus ta tête et prend le relais.

– Oui, j'ai particulièrement aimé les moments explicatifs, où la prose est moins travaillée. Ils ont une immédiateté qui me paraît manquer à certains passages plus poétiques.

Cet éloge venant de Clive te ragaillardit. Tu ne résistes jamais à une occasion de parler de ton travail.

– Je me demande souvent si je ne devrais pas livrer mes idées premières. Elles viennent en général plus directement. Le problème commence quand je me relis : je vois alors que toutes les nuances ne sont pas encore inscrites dans les mots.

Clive te regarde. Je te vois lui sourire. C'est un sourire que je connais.

– Ginny, j'ai besoin de ton aide pour le repas. Les autres seront bientôt là.

Clive est à moi et je ne te laisserai pas me le dérober. Je t'escorte dans la salle à manger où la table est dressée pour un buffet. Je te passe les couverts qu'il faut trier et envelopper dans les serviettes.

Nous travaillons côte à côte sans parler. Je termine ma part et je sors les fruits de leur sac. Je sens que tu m'épies. Je dispose les oranges et les pommes sur une assiette, les sculptant en un monticule appétissant. Je jette un coup d'œil vers tes mains tandis que tu plies les carrés de tissu et je remarque combien elles sont pâles. J'ai envie de te demander comment tu te sens, mais je n'ose pas. Je détache un grain de raisin et je te le tends. Comme tu secoues la tête, je le dirige vers ma propre bouche. Le jus est doux-amer sur ma langue.

Quand nous regagnons le salon, plusieurs invités sont arrivés. Gwen me complimente pour ma peinture et je l'accompagne jusqu'à la cheminée. Clive place un disque sur le phonographe, encore un de ses cadeaux. Nina oblige Henry à se lever pour danser. Je sens le bras de Clive m'entourer la taille. Ses mains sont chaudes sur ma peau nue. Pendant qu'il me pilote à travers la pièce, les plis souples de ma robe tournoient autour de moi comme un éventail. La lumière se déverse par les fenêtres et j'ai conscience que tout le monde me regarde. La musique se termine et je murmure à l'oreille de Clive. Il hoche la tête et se dirige vers toi. Je l'observe qui passe un bras autour de ton épaule tandis que Ka remet l'appareil en marche. Tu suis Clive le temps de quelques pas, tes mouvements imitent maladroitement les siens. Leonard vient me parler et quand je te cherche à nouveau des yeux, Clive danse avec Mary. Tu as disparu.

Je te rattrape dans le vestibule. Tu as mis ton manteau et tu en attaches les boutons.

– Tu ne pars pas.

Je me plante devant toi. Tu me lances un regard furieux.

– C'est toi qui me l'as envoyé. Tu veux me ridiculiser.

Je hausse les épaules.

– Je pensais que ça te ferait plaisir d'avoir un cavalier.

– Je n'ai pas besoin de ta pitié ! Tu es si injuste ! Tu as tout : Clive, de l'argent, des gens qui te commandent des tableaux, alors que moi... je n'ai rien.

Ta voix s'éteint. Tu désignes vaguement le salon.

– Tu vois bien que nous t'adorons tous.

Je fixe les yeux au sol. Je ne sais que dire.

– Ness... Je pensais à Maman, l'autre soir. Te rappelles-tu, quand elle est morte, comme nous étions terrorisées à l'idée que les employés des pompes funèbres viendraient chercher son corps ?

Je déglutis. Je nous revois toutes les deux, accrochées l'une à l'autre, sur le palier, alors que les hommes descendent l'escalier avec le cercueil de Maman. Je ne dois pas te laisser m'entraîner dans le passé. Par la porte ouverte, j'entends des bribes de musique.

– Tu trouveras quelqu'un. Tu pourrais te marier demain si seulement tu t'y autorisais.

Je note ta surprise et j'insiste.

– Il est évident que Walter est amoureux. C'est à peine s'il détache les yeux de toi. Et Lytton dit à qui veut l'entendre que tu es la femme la plus intelligente qu'il connaisse.

Tu me dévisages maintenant, le visage rouge d'espoir.

– Tu es belle, Billy. Les hommes s'intéressent à toi. Tout ce qu'il leur faut, c'est un petit encouragement de ta part.

Je te tends la main. Tu laisses ton manteau glisser de tes épaules et tu prends mon bras. Je te ramène à la fête.

Quelle est la loi qui dit que chacun doit affronter la chose qu'il déteste le plus ? Tu me plaisantais toujours sur ma tendance à exagérer mais, même moi, je ne puis rendre justice à l'atrocité de Cleeve House. L'enfance que nous avions connue n'allait pas sans problème, mais elle avait aussi ses compensations. Nous étions entourées d'exemples de réussite née de l'effort. Les bienfaits de l'ardeur au travail nous furent inculqués dès notre plus jeune âge. La maison familiale de Clive n'aurait pu être plus différente. Comment décrire son mélange funeste de loisir sans but, de prodigalité sans goût ? Le snobisme et les préjugés des parents et des sœurs de Clive transformaient chaque rencontre en une épreuve pénible. Les visites prolongées auxquelles tenait Clive furent les premiers obstacles que je dus surmonter dans notre couple. J'avais l'habitude de peindre plusieurs heures par jour, et je me sentais contrariée quand je ne le pouvais pas. Je m'impatientais. Je commençais à avoir des rêves d'évasion.

Comme tu me manques ! Je suis assise dans le cabinet de toilette que j'ai transformé en atelier improvisé et je contemple ma palette. Par la fenêtre ouverte, j'entends la sœur de Clive organiser les groupes pour la promenade à cheval en poussant des aboiements péremptoires. Je ferme la fenêtre. Je ne supporte plus de l'entendre.
Je me suis querellée avec Clive et cette idée me rend malheureuse. J'ai essayé de lui expliquer mon besoin de peindre régulièrement, mais Clive a eu pour seule réaction de me taquiner. Il m'a dit que, de son point de vue, quand les choses ne venaient pas facilement, c'était sans doute le signe qu'il fallait y renoncer. Je commence à mépriser cette manière de travailler à contrecœur. Je crains que Clive ne produise jamais rien de notable, malgré tout son talent. Je pense aux longues heures que Papa consacrait au labeur dans son bureau, aux soins que Maman prodiguait aux malades alors que son emploi du temps était déjà si chargé. Sacrifice et dévouement, telle était leur devise, et je devine que Clive a ces mots en horreur.
Ce matin, j'ai persuadé Clive de ne pas accompagner les autres mais de rester avec moi pour écrire. Pendant vingt minutes, nous avons travaillé dans un silence complice. Puis Clive a poussé ses livres sur le côté.

– C'est absurde. Je me sens à peu près aussi fécond qu'un vieux journal.

Je lève la tête.

– Donne-toi un peu de temps. Réfléchis et l'inspiration va venir.

Pendant un moment, Clive suit mon conseil et nous sommes de nouveau tranquilles. Je me remets à mélanger mes peintures. Finalement, Clive perd patience.

– Allons, Nessa ! Il fait un temps superbe. Beaucoup trop beau pour rester enfermé ici. Partons faire du cheval avec les autres, puis nous nous arrêterons quelque part pour le déjeuner. Qu'en dis-tu ?

Je contemple le plancher. Nous avons fait du cheval hier, et le jour d'avant. Si je cède, je n'aurai pas d'autre occasion de peindre aujourd'hui. Je pense à toutes les heures que nous avons passées à travailler ensemble dans le jardin d'hiver de la maison, toi et moi. Quand je m'interrompais pour regarder ce que j'avais fait, le bruit de ta plume courant sur le papier était le seul stimulant dont j'avais besoin pour continuer. Je soupire.

– Vas-y, toi. Je préfère rester. Il y aura tellement de cavaliers que mon absence ne gênera personne.

Je finis de préparer ma palette. Tout en nettoyant mes pinceaux, je vois par la fenêtre Clive donner le bras à une magnifique brune. Je me demande qui elle est.

Je tente de reprendre mon travail. Ta dernière lettre est posée sur la chaise à côté de moi et je la ramasse. Ici, je suis un dauphin échoué sur le sable, qui cherche l'eau en vain. J'ai besoin de tes mots pour me redonner vie.

Ta description d'une dispute avec Adrian lors du petit-déjeuner me donne envie d'éclater de rire ! Grâce à toi, je visualise la scène, le jaune poisseux dégouline quand tu lances un œuf qui explose contre le mur. Je range ta lettre dans ma poche et je t'imagine écrivant, un léger pli ridant ton front, penchée au-dessus de ta page. Je prends mon crayon et je dessine ton visage. J'indique l'amande de tes paupières, le fin modelé de ton nez. Je trouve des pastels et j'esquisse le rose nacré de ta peau, les éclats verts de tes yeux. J'ajoute de la couleur à tes lèvres, j'accentue leur arc que j'aimerais tant embrasser. J'ai tellement hâte de te revoir.

Tu arrives enfin. Je cours t'accueillir. Toute la journée, j'ai guetté ta venue. Clive a prévu un souper pour nous dans le petit salon, afin que nous puissions échapper aux questions de sa famille. Je passe mon bras sous le tien pour t'emmener. Tu portes une robe que je ne reconnais pas, bleu-vert, très décolletée. Nous entrons dans la pièce et tu t'assieds dans l'un des fauteuils. Clive te sert un verre de vin.

– Tenez. Vous devez en avoir besoin après le voyage.

Tu prends le verre et tu souris à Clive.

– Merci. En fait, je n'ai pas vu le temps passer. J'ai eu une nouvelle idée pour ce texte que je vous ai envoyé. Vous aviez raison, ma prose était trop fiévreuse. J'ai occupé tout mon voyage à la réécrire.

– Je suis content que mes commentaires aient pu être utiles.

Clive remplit deux autres verres de vin et, après m'en avoir donné un, il s'assied sur une chaise à côté de toi.

– J'ai essayé de retrouver le caractère onirique qu'avait ce récit quand je l'ai entrepris. Je veux montrer que les hommes et les femmes sont différents, mais je ne peux pas rédiger un sermon. J'admets tout à fait que, comme Dieu, mieux vaut s'en abstenir. L'effet que je veux, c'est celui de l'eau qui coule. Que tout soit fluide, large et profond.

Tu es belle quand tu parles. Tu te penches en avant, tes yeux sont illuminés par ta vision intérieure. Ta main libre s'agite pour mimer le mouvement de l'eau. Je vois que Clive est sous le charme.

– Il est certain que votre écriture a quelque chose de magique. Parfois, quand je la lis, j'ai l'impression de tenir en main un oiseau vivant. Je sens battre son cœur, puis je suis ravi de le voir déployer ses ailes pour s'envoler dans le ciel. Rares, très rares sont les écrivains qui parviennent à cela.

Soudain, et non sans douleur, je t'imagine en auteur à succès, courtisée et fêtée, tandis que mes peintures passent inaperçues. Je me sens exclue et médiocre. Je me tourne face à toi et, malgré ma promesse à moi-même, j'éclate :

– Clive et moi, nous nous demandions comment se portait ton harem ! As-tu revu Sydney depuis que tu l'as éconduit ?

Clive rit.

– Pauvre Waterlow ! Je dois cependant avouer que ça ne me surprend pas. Cela dit, je ne sais vraiment pas quel genre d'homme vous finirez par accepter…

– Oui, telle est la question !

Je comprends à ta voix que j'ai tapé dans le mille. Tes prétendants, voilà un sujet qui pique la curiosité de Clive. Pour la première fois depuis ton arrivée, tu m'octroies un sourire joyeux.

– Les premières amours sont difficiles à remplacer, tous les dauphins le savent bien.

Je regarde ailleurs. Ces déclarations publiques m'embarrassent. Tu reviens vers Clive.

– Quant à celui que je voudrais choisir comme compagnon de mon existence, je ne suis pas sûre, en toute franchise, qu'un tel être existe.

Grace a posé un vase de fleurs sur mon bureau, des chrysanthèmes rouges et jaunes et des feuilles d'automne sèches comme du papier. Par la fenêtre, je regarde le jardin. Dans quelques semaines, les arbres seront nus. Il y a déjà de grands tas de feuilles tourbillonnantes sur la pelouse. Je froisse l'une de celles du bouquet et je la vois se changer en confettis entre mes doigts. Je n'ai pas annoncé à Clive que j'étais enceinte, pour ce premier automne. J'ai gardé pour moi le lent gonflement de mon ventre, la conscience naissante de porter une autre vie. Quand je lui ai finalement révélé la nouvelle, j'ai vu son visage passer de la fierté à la peur, puis au regret. À mesure que je grossissais, il est devenu de plus en plus distant. Nous ne partagions plus ces après-midi sensuels où chacun explorait le plaisir de l'autre. Blessée par son rejet, je me suis repliée sur moi-même, concentrant mon énergie sur le bébé à venir.

Si tu avais eu des enfants, tu aurais été capable de décrire ce qu'il m'a toujours semblé impossible d'exprimer. Tu aurais su porter le langage jusque dans les recoins muets du corps, où les événements sont gouvernés par une force invisible. Je n'avais pas prévu la douleur sans relâche de l'enfantement, le violent passage des abîmes aux sommets de la terreur et de l'espoir. Je me rappelle encore l'effroi ressenti en tenant dans mes bras mon nouveau-né. Un pacte se lia entre nous lorsque j'ouvris ses doigts minuscules pour les sentir aussitôt se resserrer autour des miens. Le geste scellait le serment de toujours aimer et protéger cet enfant. C'était une promesse que vous ne pouviez pas comprendre, ni toi ni Clive.

Je regarde vos deux têtes disparaître derrière les massifs de pivoines et d'œillets de poète, les hautes colonnes de roses trémières et de pieds-d'alouette. Mon bébé dort dans son berceau, il s'est enfin tu. J'aurais aimé emprunter avec vous le chemin de la falaise et sentir la brise dure qui monte de la mer. J'aurais aimé m'arrêter pour contempler la cuvette de bleu ondoyant. J'aurais même pu diriger mon attention vers votre conversation. J'aurais pu me joindre à votre discussion sur le livre de Lytton. Je sais que ma sollicitude pour le bébé vous agace. Tu voudrais que je le laisse se calmer seul, je le sais. Je vois ton air de désapprobation jalouse chaque fois que je le prends dans mes bras. J'ai connu bien des déceptions depuis cette naissance. J'ai supporté la panique de Clive lorsque j'essayais de lui confier le bébé, j'ai bravé son irritation chaque fois que l'enfant pleurait. J'ai vu Clive s'éloigner résolument de moi. Il ne dort plus dans mon lit. Tu es devenue son alliée. Tu justifies ses sentiments, tu le plains et tu l'encourages.

Hier, quand nous étions seules toutes les deux, tu m'as accusée de t'oublier, toi ma première-née. Où étaient mes baisers, mes caresses, as-tu demandé avec colère, lorsque j'ai pris le bébé sur mes genoux. Tu as affirmé que je t'avais reniée, que je t'avais invitée en Cornouailles sans vraiment vouloir t'y voir. Tu as prétendu que je n'avais pas le droit d'appeler le bébé Julian, le premier prénom de Thoby. Et que j'étais méchante, égoïste et ridicule, par-dessus le marché. Thoby n'était pas à moi, je n'avais pas le pouvoir de le ressusciter. Tu finirais par prendre ta revanche, as-tu crié alors que tu sortais pour aller chercher Clive. Tout ne se passerait pas selon mes désirs.

Qu'est-il arrivé ? Le passé m'adresse un clin d'œil, rappel que ses mystères restent irrésolus. Je vois à présent que Clive était le complice consentant de ton travail de destruction. Tu l'accompagnais dans ses promenades, tu l'envoûtais avec tes récits, tu le séduisais avec ta prose scintillante. Consolidée par ses conseils, ton écriture devint une force éminente. On commençait à entendre parler de toi. Une partie de moi avait besoin que tu triomphes. Je berçais mon bébé et je tirais de ton succès une consolation aberrante. Préoccupée par Julian, il ne me restait guère d'énergie pour peindre. Mon ambition étant ainsi mise en sommeil, j'espérais que ta réussite compterait pour nous deux.

Tu es extraordinaire. Déguisée en Cléopâtre, tu portes une tiare dorée, un corsage moulant cousu de perles et une longue jupe droite. Tes yeux et tes lèvres sont si lourdement maquillés que je ne te reconnais pas tout de suite. Un bracelet s'enroule comme un serpent autour de la nudité de ton bras gauche. Tu es entourée d'admirateurs.

Je suis derrière un des arbres décoratifs et je me demande si je dois aller jusqu'à toi. Si je suis venue à cette fête, c'est uniquement parce que Clive a insisté. Je ne suis pas déguisée et je ne me sens pas à ma place au milieu des invités en costumes bigarrés. Je suis engoncée dans mes vêtements et mes cheveux ont perdu leur brillant depuis que j'ai accouché. Avant que j'aie le temps de prendre une décision, une inconnue s'approche et me tend la main comme à une vieille amie. Lorsqu'elle parle, c'est avec un accent américain.

– C'est bien vous ! Comme je le disais justement à Cecil, j'étais certaine que c'était vous. J'ai vu votre photographie. Vous êtes exactement aussi belle que je l'imaginais.

Je rougis malgré moi. Il y a longtemps que personne ne m'a plus adressé un seul compliment.

– Et si vous nous le permettez, nous aimerions beaucoup savoir à quelle petite merveille vous vous consacrez en ce moment. Dès que je vous ai vue là toute seule, je me suis dit : Lydia, ne t'y trompe pas, cette femme est ici afin de nous observer pour sa prochaine grande œuvre. Qui sait, j'y figurerai peut-être. Mais cela est vraiment présomptueux de ma part.

Les minauderies de cette femme me font reculer. Je ne comprends pas. Voudrait-elle que je peigne son portrait ? Elle perçoit ma confusion et se met à rire.

– Oh, ne m'écoutez pas ! J'adore dire des bêtises. Je me demandais simplement – j'aimerais tellement avoir l'occasion de vous parler, voyez-vous – si j'oserais vous interroger au sujet de Henry James. J'ai trouvé formidable votre compte rendu de *La Coupe d'or*. Croyez-vous réellement que ce soit l'un des plus grands romanciers vivants ? Après tout, vous avez tellement de grands écrivains, vous autres Anglais. C'est un grand compliment que vous nous avez fait, à nous les Américains !

– Je suis désolée. C'est ma sœur, Virginia, qui écrit. Je m'appelle Vanessa. Je suis peintre.

Incrédule, la femme me dévisage quelques instants, puis marmonne une phrase incohérente et déguerpit. Je la suis du regard, heureuse d'avoir un arbre pour me dissimuler. Finalement, je prends mon courage à deux mains et je me dirige vers toi.

– Tu viens enfin me dire bonjour.

J'examine les épaisses bandes noir et or que tu as peintes autour de tes yeux. Tu ressembles à une courtisane. Tu es bras dessus, bras dessous avec une grande femme rousse portant une mantille noire, en qui je reconnais Ottoline Morrell. Tu me montres, de tes doigts couverts de bagues.

– C'est si agréable de te voir sans ton appendice. Je commençais à concevoir ton corps comme irrémédiablement difforme, inséparable de ce grand nourrisson beuglant qui était attaché à ta hanche.

Je t'ignore et je serre la main d'Ottoline. Tu refuses d'être ainsi dédaignée.

– À propos, nous parlions de bébés, Ottoline et moi. Je lui disais que le mien serait entièrement en papier. En papier et en mots, bien sûr.

En t'entendant bredouiller, je devine à quel point tu es ivre.

– Ottoline a l'expérience de ces deux types de progéniture. Nous en avons déterminé les mérites et les défauts respectifs. Les douleurs de l'enfantement sont à peu près les mêmes dans les deux cas, même si le sang coule peut-être plus pour les bébés de papier, mais les désagréments sont amplement compensés par d'autres avantages. Après tout, les livres ne grandissent pas et ils n'envoient jamais paître leurs créateurs vieillissants.

Le triomphe éclate dans tes yeux. Je ne vois Clive nulle part. Tu sembles lire dans mes pensées.

– Où est donc ton délicieux époux ? Je l'ai envoyé nous chercher des glaces. Cléopâtre doit avoir son Antoine. Ah, le voici, revenant de ses pénibles combats. Il semble victorieux.

Tu guides vers toi Clive qui, se frayant un passage à travers la foule des invités, tient au-dessus de sa tête un plateau chargé de glaces. Je lui fais signe, mais il n'a pas l'air de me voir. J'observe ses yeux qui se fixent sur toi.

– J'arrive !

Clive te tend une coupe, puis en propose une à Ottoline. À ma grande surprise, tu me prends par le bras. À contrecœur, je traverse le jardin avec toi. Nous nous arrêtons près de la fontaine.

– Je suis contente que tu sois là. Ott est parfois si ridicule ! Elle voue un culte à tous les artistes, mais elle ne se décide jamais tout à fait à renoncer à sa couronne ducale, et tout ce qu'elle dit est donc teinté d'une condescendance écrasante. Regarde-la flirter avec Clive ! Elle me fait penser à une sorte de Méduse terrifiante, avec ce grand bec qu'elle a au milieu de la figure.

Je te dévisage. Je ne sais pas si je suis choquée par ta façon de dénigrer Ottoline, ou soulagée à l'idée que tu te confies à moi une fois de plus.

Je m'apaise grâce à la couleur. Je fais jaillir sur ma palette des ruisseaux d'orange, de bleu, de mauve, et je les transpose directement sur le papier. Je ne peins pas. Je veux seulement me consoler. Je libère le flux de bleu à travers le vide blanc de ma rage. J'ai passé toute la matinée assise à la fenêtre, à guetter votre retour de promenade. J'ai calmé les cris fiévreux de Julian et je vous imaginais tous les deux, en tête à tête, sur le sable. J'ai mal dormi. La pièce est chaude et étouffante, et l'air vivifiant de la mer me manque. Je reprends du mauve avec mon pinceau et je continue mon lavis. Julian s'agite dans son petit lit et je le berce un moment jusqu'à ce qu'il se rendorme. Soudain, j'ai envie de noir. J'imagine ta main posée sur le bras de Clive, tes yeux levés vers lui lorsque tu lui poses une question. Je sais que ta naïveté excite le désir de Clive et qu'il essaiera de t'embrasser. Je trace des barres noires qui réduisent mes couleurs en lambeaux. L'orange est déchiré en deux, le bleu et le mauve sont disjoints.

En as-tu été touchée ? Un peu de ma colère meurtrière et auto-protectrice t'a-t-elle atteinte alors que tu longeais le rivage, ce jour-là ? Y a-t-il eu un moment où tu as vu un aileron de requin fendre l'eau, ou la pointe d'une aile d'oiseau percer l'azur infini ? Est-ce à ce moment, tandis que tu laissais Clive te guider parmi les galets, que des doutes ont commencé à fissurer ton esprit, à te faire trembler et reculer ?

Un vase de porcelaine en forme d'urne, monté sur un petit socle. Personne ne peut en nier la beauté, la sérénité froide, la présence quasi royale. La décoration est très précise, une couronne de feuilles à la base, une frise de fleurs bleues autour du bord. Il y a quelque chose d'inviolable dans ce pot, comme s'il devait conserver jusqu'au bout son secret. Je place à côté de lui deux objets plus petits. À droite, un flacon bouché, étiqueté comme les fioles à médicament que Papa gardait près de son lit. Je le choisis vert, viril, hermétiquement clos. À gauche, j'introduis un bol ouvert, vide de tout contenu pour le moment. Il paraît dans l'expectative, comme s'il connaissait déjà son sort. Je tourne mon attention vers l'arrière-plan. Il me faut ici de la lumière, des ombres, de l'espace. Je veux suggérer qu'il y a de l'espoir dans la blancheur. Devant les objets, je façonne des pavots, un autre groupe de trois. Je travaille délicatement, avec soin. Les deux fleurs les plus éloignées du spectateur, je les fais blanches, leurs pétales fermés, se fondant dans l'ombre. La troisième, je la peins en rouge, la couleur coule des pétales comme du sang. Je ne vois aucune signification dans mes fleurs. Je refuse de dire laquelle est moi, Clive, ou toi. Je leur donne de longues tiges minces, étendues parallèles à la toile. Je ne leur permets pas de se toucher.

5

Je le reconnais aussitôt. Je reste cachée, m'abritant derrière Clive, sans savoir s'il se souviendra de moi. À l'autre bout du quai, il étudie les horaires des trains. Il lève tout à coup les yeux, comme conscient de mon regard, et ses yeux s'éclairent lorsqu'il m'identifie. L'instant d'après, il court vers nous. Nous partageons une voiture. J'observe les rides profondément creusées dans le visage de Roger, son épaisse chevelure blanche, l'étonnant contraste que forment ses sourcils noirs comme le jais. Pendant qu'il bavarde avec Clive, je regarde par la fenêtre et je laisse dériver mes pensées. Je me rappelle la fête de Desmond et Molly, comme j'avais été inquiète en découvrant que je devrais m'asseoir à côté de Roger Fry. Sa réputation d'artiste et de critique, son savoir encyclopédique, ses questions inquisitrices lorsqu'il m'interrogeait sur mon travail, tout cela m'avait d'abord rendue muette. Pourtant, au cours de la soirée, j'avais changé de sentiment envers lui. Il m'avait encouragée à parler, m'avait persuadée de la valeur de mes opinions. Son enthousiasme m'avait poussée à formuler des idées dont je n'avais pas même conscience. Je m'étais enhardie à mesure que notre conversation était passée de Sargent aux peintres français, des merveilles de la Renaissance italienne à la gaucherie des arts décoratifs anglais. À la fin du dîner, il me semblait connaître Roger depuis toujours. En même temps, si cette rencontre s'était avérée si exaltante, c'était bien parce que je ne l'avais jamais vu auparavant, et mon audace venait de ce que je ne savais pas vraiment comment il allait réagir.

J'écoute Clive et Roger parler voyages, amis communs, art. Je ne tente pas de participer. Je me concentre sur les plans de lumière éclatante créés par la vitesse du train, sur le vert chatoyant des champs qui défilent. La gentillesse de Roger ne m'échappe pas, pas plus que sa façon de me regarder chaque fois que sa conversation avec Clive s'interrompt.

C'est à Londres que je revois ensuite Roger. Il dîne avec nous, dans notre maison de Gordon Square. C'est l'une de mes premières réceptions depuis la naissance de Quentin et je désire que tout se passe bien. Quand nous quittons la table pour gagner le salon, Roger me rattrape. Nous nous faisons face dans le couloir glacé. Roger parle le premier.

– Comment va votre nouveau bébé ?

La douceur de sa voix m'émeut. Soudain, je ne puis m'empêcher de pleurer. Des larmes roulent sur mes joues, éclaboussent ma robe, tombent à terre. Tous mes sentiments réprimés, toute l'angoisse, la fatigue et l'amertume que je porte en moi depuis que Quentin est né, tout cela déborde et m'inonde. Inspirée par la sollicitude de ce presque inconnu, je déverse mes tourments les uns après les autres. Je dis à Roger l'indifférence de Clive, je lui dis que je suis trop épuisée pour peindre. Je lui dis que Quentin refuse de prendre du poids, je lui dis que tu as selon moi une liaison avec Clive. Roger s'empare de chacune de mes souffrances et les retient dans ses mains. Il les soupèse. Puis il me ramène dans la salle à manger déserte et cherche des solutions.

Le collier de Maman est aussi beau que dans mon souvenir. Ma main tremble lorsque je le tire de son écrin pour le placer devant ma gorge. Les pierres accrochent la lumière quand je me regarde dans le miroir. C'est la première fois que je le porte depuis sa mort.

Clive s'approche, se débattant avec sa cravate.

– Quelle saleté ! Je suis incapable de m'en dépêtrer. Tantôt ça vient tout seul, sans effort apparent, tantôt j'ai toutes les peines du monde à la nouer correctement.

Je presse le fermoir du collier de Maman et je me retourne.

– Laisse-moi essayer.

Clive se baisse pour que je puisse attraper la cravate sans quitter ma chaise. Quand je lève les bras pour faire le nœud, il m'embrasse tendrement. Je pose la tête un instant contre sa poitrine et je sens son parfum familier de savon et d'eau de Cologne. Puis je noue sa cravate. Clive se penche pour vérifier le résultat dans le miroir.

– J'avais oublié ta dextérité.

Ses mains caressent mes épaules et ses doigts s'aventurent vers le collier de Maman.

– Il te va bien. J'espère que ton voisin de table appréciera pleinement ta beauté.

Je rougis, reconnaissante pour ce compliment. Malgré tous les échanges que nous avons eus sur le besoin d'épanouissement personnel et l'hypocrisie des conventions, je ne suis toujours pas habituée à nos vies séparées. Je pose la question que je redoute.

– La chèvre sera là aussi ?

À la mention de ton surnom, Clive se recule. Dans le miroir, je le vois froncer les sourcils.

– En tout cas, elle est invitée. Ça ne veut pas dire qu'elle viendra, bien sûr. C'est devenu une célébrité, à présent. Tout le monde veut la rencontrer.

Je regarde Clive qui se concentre sur ses boutons de manchette. Je ne suis pas dupe de son indifférence apparente. Je décide de creuser un peu plus.

– Elle était certaine que Quentin serait une fille. Te l'ai-je dit ? Je lui ai répondu qu'en ce cas, je l'appellerais Clarissa. Cela semblait lui plaire.

Je retiens mon souffle. J'ai osé parler de toi et du bébé dans la même phrase. À ma grande surprise, Clive sourit.

– Elle m'a montré une nouvelle qu'elle avait écrite il y a quelques semaines, dont un des personnages se prénomme Clarissa. Je ferais attention, si j'étais toi.

Clive remet en place une boucle de mes cheveux. Je lève la main pour toucher la sienne. Il me tapote d'un air rassurant.

– Très bien, à demain.

Je vois la porte se fermer derrière lui et je suis saisie d'une panique soudaine. Je sais que même si je le rappelle, il ne reviendra pas. Je ne dois surtout pas l'étouffer. Si je veux le garder, je dois lui laisser sa liberté. Je me regarde dans le miroir. Le collier de Maman scintille et reluit dans la glace. Je le détache et je le range soigneusement dans son écrin. Je m'enroule une écharpe de soie autour du cou. Puis je descends retrouver Roger.

Constantinople, comme une coupe pleine de bulles de savon, immatérielle contre le ciel. Un matin, Roger et moi, nous partons peindre dans les collines, et nous laissons Clive et Harry poursuivre seuls leur visite des monuments historiques. Nous installons nos chevalets dans une oliveraie, ravis par les feuilles d'un vert argenté et par le vert plus foncé des fruits pas encore mûrs, par les rouilles et les ocres de la terre desséchée.

Un vieil homme arrive à dos d'âne, et il quitte sa monture pour nous regarder travailler. Toujours aussi enthousiaste, Roger se lance avec lui dans une conversation essentiellement constituée de gestes et de quelques mots fréquemment répétés. Quand nous avons fini de peindre, le vieillard nous fait signe de le suivre. Il indique qu'il veut nous offrir à boire. Nous remballons notre matériel et nous l'accompagnons dans une maison de pierre, assez basse.

L'homme disparaît à l'intérieur et revient presque aussitôt avec son épouse. Il mime qu'il voudrait un dessin de leur couple. Nous nous exécutons, trop contents de cette occasion de nous reposer. Il fait frais dans la maison, après le soleil implacable. Je prends mon carnet de croquis et je commence à dessiner la femme. Le vieil homme apporte une cafetière et quatre petits verres décorés. Il sert le liquide noir, avec plusieurs cuillerées de sucre. Je peux à peine boire ce café tant il est sucré. Je termine mon portrait et je le montre à la femme. Elle applaudit, enchantée, toute joyeuse de voir son image. Puis elle m'emmène dehors, au puits, pour que je puisse me laver. L'eau est délicieusement froide et j'en asperge mes doigts. Je plonge le bout de mon foulard dans l'eau, puis je l'applique sur mon visage et mon cou. Je m'aperçois seulement au moment d'essuyer mes mains que j'ai perdu ma bague. Je contemple la légère marque rouge sur mon doigt et je comprends qu'elle a dû glisser dans l'eau glacée. Mon cri de consternation fait sortir les hommes. Le vieillard apporte un miroir et nous scrutons le puits, dans l'espoir de voir les pierres précieuses briller dans la lumière réverbérée. Au bout de plusieurs minutes de vaines recherches, la femme éclate en sanglots. Je suis obligée de la consoler, de faire comme si cela n'avait aucune importance. Roger tente de me réconforter en décrivant toutes les bagues extraordinaires qu'il a vues au bazar local. Il me promet de m'en acheter une autre. Je n'ose pas avouer qu'il s'agit de ma bague de fiançailles avec Clive.

Je suis étendue sous la fenêtre ouverte de notre hôtel, je saisis les bruits qui filtrent de l'extérieur, et je pleure mon bébé mort. J'entends des enfants jouer dans la cour en contrebas et je me rappelle le flux de sang entre mes jambes. J'écoute la voix des femmes qui frottent les parquets, les pas des autres clients lorsqu'ils passent devant ma porte. Les sons me parviennent comme à travers une gaze, comme si j'étais coupée du monde. J'observe le plafond, j'essaye de déchiffrer le fil d'un souvenir dans les veines et les fissures du plafond. Je regarde l'eau couler sur mes doigts et ma bague glisser dans le puits. Je sens ma main dans celle de Clive et la pression de mes doigts sur la peau de Roger. Je me rappelle la fougue du baiser de Roger, le remords me torture, j'en ai des crampes d'estomac. Je distingue la forme d'un enfant dans les caillots de sang. C'est toujours comme si le souvenir se déroulait juste hors de portée, si bien que je suis incapable d'intervenir. Puis les images se troublent, tout devient flou, les éléments se mélangent. Roger, Clive et moi, nous devenons une sorte de bête hideuse. Je tremble, je hurle et je dis à la bête de se méfier, je lui signale quel meurtre elle est sur le point de commettre. Parfois je fonce pour tenter de séparer les corps. Parfois je reste immobile, et je pleure de voir les images de ma vie devenir si vengeresses.

De l'eau. Peut-être à cause de la chaleur accablante de l'été en Turquie, je pense sans cesse à de l'eau. J'ai l'impression d'être au bord d'un précipice, à tout instant je pourrais tomber dans un abîme d'où je ne reviendrais pas. Je me vois plonger la tête la première, à la fois craignant et désirant la chute. Je ne peux plus retenir les mécanismes de mon corps, le délire extravagant de mon esprit. Seule l'eau peut effacer ce que j'ai fait. Seule la noyade peut anéantir les monstres que je reste susceptible de créer.

C'est Roger qui m'éloigne du gouffre. C'est sa main qui apaise mes terreurs, sa voix qui me ramène doucement à la vie. Jour après jour, nuit après nuit, il est avec moi, il m'assure que je ne deviens pas folle. Je m'accroche à sa main, à sa voix, à sa foi en moi. Ce sont les balises qui me guident jusqu'au rivage, saine et sauve.

Incompétence, vulgarité, obscénité ! Je vois encore les gros titres. Avec son exposition de peinture française, Roger suscita un tollé tel qu'on a du mal à se l'imaginer aujourd'hui. Pour le comprendre, il faut remonter à l'Angleterre édouardienne, éprise de conventions, horrifiée par le changement. Aux yeux d'une société qui étouffait la dissidence sous les épais tapis de son élite dirigeante, l'exubérance agressive d'un Manet ou d'un Gauguin était on ne peut plus choquante. Les peintres français ouvrirent la voie à l'expérimental et à l'expression individuelle. La reproduction de la réalité, si chère à l'art anglais, fut ébranlée jusque dans ses fondations.

Une salle haute de plafond, aux murs blancs. L'éclat des peintures est si violent que je suis obligée de baisser les yeux. Je suis encore vacillante après mes semaines de maladie et je suis d'abord incapable d'appréhender cette cacophonie de couleurs et de formes. Quand je finis par regarder à nouveau, je suis momentanément aveuglée par l'écarlate, le jaune et les pans de bleu. Je retiens mon souffle. Je n'ai jamais rien vu d'aussi exaltant. Je sens mon cœur palpiter d'enthousiasme, comme si ces tableaux faisaient vibrer une corde qui n'était jusqu'ici encore jamais entrée en résonance.

Roger s'empare de mon bras et me conduit devant un paysage de Cézanne. Je vois au premier coup d'œil que les couleurs sont moins brutales que celles des autres toiles, et pourtant je suis incapable d'en regarder l'intégralité. Je préfère étudier une petite zone terre de Sienne, dans le coin inférieur droit, rehaussée de blanc, de noir et de gris. Ce pourrait être un groupe de chaumières. Je note la vigueur des traits de pinceau, la façon dont les couleurs se superposent de sorte que, même si l'on discerne des maisons, c'est l'effet général qui compte. À la pression de la main de Roger sur mon bras, je devine qu'il est aussi envoûté que moi. Lentement, il lève son autre main et désigne une zone de vert. Les tourbillons et les empâtements suggèrent du feuillage, mais ce qui est encore plus extraordinaire, c'est la manière dont ce bloc crée une impression de distance tout en s'inscrivant dans l'ensemble du tableau. Je recule d'un pas. Je contemple maintenant toute la toile. Je me donne le temps d'enregistrer les bleus et les blancs du sommet montagneux, mon œil retombe en bas du paysage pour en recueillir l'écho dans les marrons et les verts. Une traînée violette à la base me donne envie de rire de bonheur. Sa présence n'a aucune justification, à part son rôle d'écho pour le motif de la montagne. Roger est contaminé par mon allégresse. Il me montre une femme en robe lilas qui se détourne d'un nu de Matisse, choquée par le rendu grossier de la chair fuchsia. Quand la femme marche, sa jupe ondoie derrière elle et, à son insu, elle fait partie de l'exposition, elle reflète la ligne violette du Cézanne. Cette fois, mon regard est accroché par une barre horizontale qui court du côté droit jusqu'au centre. Est-ce une route, ou un pont ? Peu importe, je m'en rends compte. Sans ce trait, le tableau ne serait que formes anarchiques. Cette ligne sert de pivot à tout le reste.

Je ne peux plus regarder. Je me tourne vers Roger. Il comprend aussitôt et me guide à travers la foule vers une salle moins agitée que la galerie principale. Il me tient dans ses bras et j'enfonce mon visage dans sa veste. Sans que j'aie prononcé un mot, il sait tout ce que cette exposition signifie pour moi.

– Clive achètera peut-être le Cézanne, dis-je enfin sans vouloir le lâcher.

Roger soulève mon visage et m'embrasse.

– Tu peindras peut-être tes propres chefs-d'œuvre.

Je suis heureuse que nous ayons prévu de venir ensemble. En approchant du vestiaire, je me sens prise d'une timidité imprévue. Ces déguisements semblaient parfaits lorsque je feuilletais le catalogue du costumier, cherchant ce qui conviendrait parmi les robes de bal à volants et les habits de pantomime, mais maintenant que nous sommes ici, je ne suis plus aussi sûre de moi. Pour la fête de Roger, je voulais une tenue aussi pleine de vitalité que son exposition, et quand j'ai vu le dessin d'une jupe de raphia avec des guirlandes de fleurs, j'ai cru avoir trouvé.

– Et si nous nous déguisions en Tahitiennes ? t'ai-je proposé tandis que tu attendais sur le pas de la porte. Nous pourrions être les femmes de Gauguin.

Tu te cachais sous le bord de ton chapeau. J'ai senti le dégoût que t'inspiraient les miroirs, les mannequins, les regards inquisiteurs des vendeuses se demandant quels costumes nous allions choisir. C'est peut-être ton anxiété qui m'a rendue téméraire. J'ai commandé ces tenues.

Par chance, le vestiaire est désert. Nous sommes en retard et la plupart des invités sont déjà arrivés. J'ai passé l'après-midi avec Roger, à lui montrer mes nouveaux projets de tissu. Il les fera réaliser pour son atelier et ses éloges m'ont transportée de joie. J'enlève mon manteau, je retire mes chaussures et mes bas. Pour bien jouer notre rôle, nous devons nous mettre pieds nus. J'ai apporté les guirlandes dans un sac et je me place devant le miroir pour les disposer.

– Qu'en penses-tu ?

Je glisse une fleur derrière mon oreille et je me retourne.

– Tu es... splendide !

Tu n'as d'yeux que pour mes seins nus, seulement en partie cachés par les fleurs de papier. J'ai soudain le vague souvenir de m'être habillée pour une des soirées de George, et je pense à tout le chemin parcouru depuis. Je ne suis plus contrainte par des règles dépassées, je ne suis plus esclave des maîtres d'autrefois. Ce qui me fait avancer, désormais, c'est la passion.

– Viens.

Tu laisses tomber ton manteau à terre. Nous nous sourions, vêtues de nos tenues exotiques. Je dénoue tes cheveux et je les laisse se déployer sur tes épaules. J'encercle ton buste de guirlandes de fleurs. Quand j'ai terminé, tu mets les mains sur ma taille et nous esquissons quelques pas de danse, en agitant les hanches pour faire crisser nos jupes de raphia. Nous gloussons bientôt comme des écolières. Nous entrelaçons nos bras avant de nous jeter dans la mêlée.

Plusieurs têtes se tournent vers nous quand nous nous frayons un chemin dans la foule des invités. Je vois Roger au loin, parlant à un groupe de gens, mais je décide de ne pas le rejoindre. Je préfère me diriger vers un coin tranquille.

– Alors, c'est vrai ? Clive dit que Gerald va publier ton roman.

– Oui.

Tes yeux s'illuminent de plaisir. Je ne peux m'empêcher de penser combien il t'a été facile de devenir écrivain, avec tout ce soutien familial.

– Et il me plaira ?

– Je l'espère... Tu sais que l'essentiel de ce que j'écris, je l'écris pour toi.

Ta voix a quelque chose de suppliant. Tu t'interromps.

– Cependant, j'ai bien peur d'être très en retard sur les peintres, quand il s'agit de comprendre les beaux-arts.

Ta franchise me touche. Je voudrais te faire une confidence à mon tour.

– Nous avions toutes deux tellement à désapprendre.

– Je pense que tu es allée plus loin que moi. La peinture ouvre la voie, il n'y a aucun doute là-dessus. La fiction a oublié son but. Les romanciers tournent autour de leur sujet, ils décrivent tout ce qui lui est extérieur, puis ils s'étonnent qu'on le perde de vue.

Avant que je ne puisse répondre, je m'aperçois que Roger me fait signe, de l'autre bout de la salle. Tu le remarques aussi.

– Roger est là-bas. Nous y allons ?

J'hésite. Je me demande si tu as deviné que nous sommes amants, Roger et moi. J'ai le soudain désir de garder cette liaison pour moi.

– Non, il me semble avoir vu Lytton à l'instant. Il m'a écrit l'autre jour pour m'annoncer que Leonard Woolf revenait de Ceylan. Allons lui parler. J'aimerais en savoir plus sur Leonard. À ce que tout le monde dit, son séjour aux colonies est une vraie réussite.

Je t'oblige à te lever et je me mets à chuchoter.

– Lytton m'a aussi appris que Leonard cherchait une épouse en Angleterre.

Je t'adresse un clin d'œil.

– Ce pourrait être l'homme idéal.

Je l'attends depuis plusieurs jours. Je déchire le papier brun de l'emballage et je soupèse l'objet. Ton premier roman. Je ne veux pas commencer à le lire tout de suite. Je préfère l'ouvrir au hasard pour déchiffrer quelques phrases. La netteté de ton style ne me surprend pas, j'y suis habituée. Ce qui me stupéfie, c'est ton audace.

– *Nous souffrons les tourments des damnés, dit Helen.*

– *C'est ainsi que j'imagine l'enfer, dit Rachel.*

Quelque part dans ma tête, un signal d'alarme retentit. Tes mots me ramènent aux bals où nous étions forcées d'aller avec George. Je nous vois échangeant des murmures de conspiratrices dans un coin ; ces répliques, nous aurions pu les prononcer telles quelles. Je lis encore quelques expressions, en me demandant où tu les as pillées. Oui, me revoici, gauche et mal à l'aise dans ma robe à paillettes noire et blanche. Ne pourrai-je jamais t'échapper ? Je saute quelques pages et je découvre les méditations d'un jeune homme qui hésite entre Cambridge et une carrière dans le droit. Je me sens instantanément soulagée. C'est Thoby tout craché ! Ce n'est pas de la littérature, ce n'est que du journalisme. Tu t'es contentée de reproduire le monde que tu connais. C'est écrit avec une grande habileté, je te le concède, les personnages sont parfaitement modelés, tes phrases sont pleines de lyrisme et d'esprit, mais tout cela ne produit pas le changement de perspective, la transformation intellectuelle qui est la marque du grand art. Je m'assieds à la table de la cuisine. Tes emprunts sauvages ne me gênent plus. Comme je suis à présent certaine que tu n'as pas écrit un chef-d'œuvre, je peux te lire avec plus de sérénité.

Avec *La Promenade au phare*, ça a été différent. Là, pour la première fois, j'ai senti la pleine force de ton génie. Dans l'équilibre complexe entre composition et vision, dans l'exquise conception de chaque formule, j'ai su malgré moi que tu étais une artiste consommée et que je ne pourrais jamais rivaliser avec toi. Une fois de plus, tu avais raconté notre histoire, mais cette fois, tu avais su combler l'écart entre biographie et art. Tu avais peint Maman et Papa avec une assurance qui me coupait le souffle. Comme si, en te concentrant sur certains traits, tu pouvais les offrir à ton lecteur d'une façon si directe qu'ils devenaient des archétypes vivants, des personnages édifiants mais réels. Tu les avais libérés des pièges de la mémoire et tu t'étais servie d'eux pour réfléchir sur les questions les plus graves de la vie humaine. Tu avais accompli tout cela dans une prose si limpide, si émouvante que je ne pouvais que m'émerveiller de ton talent. Tu avais fait plus encore. Par la témérité du cadre choisi, en étirant le temps puis en l'accélérant pour montrer son impact plutôt que son passage, tu avais ouvert de nouvelles possibilités pour ton art. Je commençais à découvrir des obstacles et des perspectives semblables dans mon propre travail. Pour une fois, ta création était telle qu'elle nous faisait progresser toutes les deux.

L'écheveau de nos vies doit paraître bien emmêlé à ceux qui n'en font pas partie. En encourageant Leonard à te demander en mariage et en te persuadant de dire oui, étais-je consciente de t'envoyer un radeau de survie ? J'étais la sœur charnelle, tu étais l'intellectuelle, telle est la version officielle. La vérité est un peu différente. Tu as connu dans ton couple des intimités dont je ne pouvais que rêver. Peut-être, si j'avais été capable d'accepter l'adoration, aurais-je pu moi aussi avoir mon Leonard. Il y avait dans ma nature un défaut, une déficience, une blessure qui me rendait indifférente à tout ce que Roger proposait. Il y avait en moi un désir insatiable, un élan profond qui me poussait à rechercher ce que je savais être impossible, qui m'incitait à repousser le seul homme qui aurait pu m'aider à réussir. J'ai rejeté l'affection de Roger pour relever un défi douteux, pour essayer de transformer le dédain en amour. Je n'avais pas compris que je ne faisais ainsi que reproduire un modèle ancien.

La femme placée au premier plan nous tourne le dos. Il est clair que c'est elle qui préside, mais il y a un autre personnage face à elle, qui exige notre attention dès lors que nous l'avons vu. Le visage de cette autre femme est solennel, sévère, dominateur. Sa moue a quelque chose de déplaisant. Elles sont séparées par une table où ne sont posés que quelques assiettes, quelques verres, une cruche et du pain. La nappe blanche repousse l'œil au lieu de l'attirer. La femme du premier plan a la tête baissée. Nous ne voyons pas son visage. Seuls l'angle de la tête et le pli de son bras tendu vers une assiette suggèrent son impuissance. Nous sentons qu'elle est malheureuse et que, si elle le pouvait, elle restaurerait ici l'harmonie et le bien-être. Deux enfants sont également attablés. À gauche, un petit garçon, coincé sur une chaise haute. Il observe les femmes avec attention. De l'autre côté, rapprochant sa tête de la femme du bout pour comploter avec elle, une fillette blonde au visage renfrogné. Elle a les jambes perchées sur le barreau de sa chaise et ses yeux expriment un caractère capricieux et malfaisant.

En revoyant cette peinture aujourd'hui, je suis choquée par sa franchise. Rien de décoratif, rien d'extérieur, tout est mis à nu. Je vois la désapprobation de la femme, la jalousie de la fillette, l'angoisse du personnage dont le visage nous est caché. Je sens le détachement critique de Maman, ta vigilance tendue, mes propres efforts pour calmer le jeu et obtenir l'approbation. Le petit garçon pourrait être Adrian ou l'un de mes fils. Ou ce pourrait n'être personne en particulier. L'art n'est pas la vie, après tout.

Je suis allongée sur mon lit, le visage contre le mur. Je me dis que je devrais descendre, que tout le monde va m'attendre. Je dois m'occuper du repas de Noël, préparer les jouets des enfants. J'entends déjà des chanteurs dans le vestibule. Je ferme les yeux. Je n'arrive plus à tenir rassemblés les différents morceaux de ma vie. Hier soir, au dîner, Clive était assis à côté de Mary et il a énuméré ses qualités comme si elle était un objet précieux qu'il rêvait de posséder.

Je somnole. Je me rappelle Stella, me montrant comment donner corps à mes personnages en dessinant l'ombre autour d'eux. Sa main se ferme sur la mienne et, alors qu'elle guide mon crayon, je vois qu'elle tient quelque chose, un objet que je n'identifie pas vraiment. Je sais que je dois le lui prendre pour le mettre à l'abri. Ton visage est devant moi maintenant. Nous sommes sous l'eau et, je le sens, ce que Stella m'a donné nous maintiendra à flot. En baissant les yeux, je vois que j'ai un miroir à la main. Tes traits sont déformés par l'eau, mais j'ai conscience de ta crainte. Je te tends le miroir. Tu comprends tout de suite, mais au lieu de le prendre, tu pars à la nage. Je t'appelle, surprise d'entendre si clairement ma voix. Je suis terrorisée à l'idée que tu te noieras si je te laisse t'en aller.

Je te poursuis et, dès que je te rattrape, je m'empare de ton épaule. Je te mets le miroir dans la main. Quand je te regarde ensuite, tu es bien au-dessus de moi, sur la terre ferme.

Je suis trop épuisée pour lutter. Je te hèle, mais, cette fois, je ne produis aucun son. Tandis que je coule, je m'aperçois que quelqu'un vient à mon secours. J'ouvre les yeux et je vois Roger dans l'eau à côté de moi. Si je m'accroche à lui assez longtemps, je vous retrouverai peut-être, le miroir et toi.

C'est l'une de ces matinées où le ciel semble avoir été récuré. J'ai froid, je suis déprimée, nous passons devant St. Pancras pour aller au bureau de l'état civil. Tu es assise avec Leonard dans la salle d'attente. Ta main est serrée dans la sienne, et j'ai soudain la sensation que désormais, tout ce que tu feras sera partagé avec Leonard avant de m'être confié. Je suis comme un passager abandonné sur la rive alors que le paquebot disparaît à l'horizon. Je m'accroche au bras de Clive tandis que nous nous dirigeons vers des chaises inoccupées, et je lui sais gré d'être là.

Le discours d'introduction de l'officier d'état civil est interminable. Je dévisage Adrian et je trouve qu'il ressemble tant à Thoby. Ton visage est masqué par ton chapeau. Je ne puis distinguer ce que tu ressens. Quand vient l'échange des alliances, je tends le cou en avant. Je vois Leonard te passer l'anneau d'or au doigt. Tu le regardes en souriant, tes yeux sont pleins d'une tendresse évidente. Je me lève.

– Je me demande si je pourrais poser une question ?

Le silence se fait pendant que les têtes se tournent pour voir qui a parlé. L'officier d'état civil cherche à travers la salle la source de cette interruption. Lorsqu'il me repère, ses sourcils se froncent en un pli de contrariété. Je n'ai pas le choix, je dois continuer.

– Je voudrais modifier le prénom de mon fils. Je vous serais reconnaissante de bien vouloir me conseiller sur la procédure recommandée.

Comme les jours semblaient longs en ton absence. Je pensais sans cesse à toi. J'ai trouvé une carte et j'ai suivi ton voyage, je me représentais ton excursion en autobus au sommet du Montserrat, votre arrivée en bateau à Marseille. Je te voyais prenant ton petit-déjeuner dans des salles à manger inconnues, prévoyant ta promenade de la journée. Dans mon lit, la nuit, je t'imaginais enlacée par les bras de Leonard.

Pour me distraire, j'ai décidé d'entreprendre un autoportrait. J'ai placé un miroir près de mon chevalet et je m'y suis regardée un long moment, pour étudier les minces sillons apparus sur mon front, le léger affaissement de ma mâchoire. Je ne pouvais nier les signes éloquents du vieillissement.

Puis les premières lettres sont arrivées. Tes descriptions de la campagne française m'enchantaient. Le récit de ton mal des transports et de l'héroïsme avec lequel Leonard ingurgitait des cornichons me fit me tenir les côtes de rire. Dès que j'eus surmonté le ravissement d'avoir des nouvelles de toi, j'étudiai ton style pour y trouver d'autres détails intimes. Je m'interrogeai sur tes allusions à Leonard, ne sachant comment les interpréter. Les lettres de Leonard m'apportèrent une réponse. Elles étaient précises, sincères et inébranlables. Apparemment, l'amour physique ne t'intéressait pas, selon lui, et il voulait savoir si je pouvais le conseiller. Je répondis sans attendre. Je lui dis que tu avais toujours été physiquement froide, surtout avec les hommes. Je lui dis qu'à mon avis, il ne pourrait pas te changer. Ce jour-là, j'ai travaillé à mon portrait avec une énergie renouvelée. En regardant dans le miroir, j'ai eu l'impression que mon visage avait retrouvé son éclat.

Par bien des côtés, Leonard était l'apothéose de Maman. Homme d'action et homme de mots, il imposait le respect. Tout aurait pu être différent si, au lieu de le persuader qu'il n'était pas à blâmer, je l'avais encouragé à se montrer un peu moins rigide. Si j'avais été plus généreuse, j'aurais peut-être pu l'aider à trouver l'assurance nécessaire pour explorer. Au lieu de quoi, mes paroles ne firent que confirmer ses craintes et t'orientèrent vers un mariage dénué de toute vie sexuelle. Le destin allait m'en punir.

Je ne me rappelle plus exactement quand j'ai détruit cet autoportrait. Peut-être le jour où Duncan m'avoua qu'il ne serait plus jamais mon amant. Je ne m'en souviens pas, cette époque est floue dans mon esprit. Je suis contente de l'avoir détruit. Le rose de mes joues, mon air de satisfaction rêveuse, tout cela n'était qu'un mensonge. Je n'avais pas tout dit à Leonard.

La silhouette d'un héron, au loin, se dessine sur le gris bleu. Le reflux a laissé des mares au milieu de la boue et des galets, paisibles miroirs des nuages. Nous longeons l'estuaire tous les trois, en goûtant la chaleur du soleil dans notre dos. Roger marche à grands pas avec Clive, je traîne à l'arrière, en prenant le temps de regarder les oiseaux en quête de nourriture. Lorsque nous atteignons la jetée, tous les bateaux de location sont partis. Nous nous installons sur l'un des bancs, Clive et moi, heureux de cette occasion de nous reposer. Clive sort un livre et se met à lire. Je contemple la vue, les pêcheurs qui s'affairent pour rapporter leurs prises, le tournoiement élégant des mouettes qui plongent pour s'emparer de restes de poissons. Roger bouillonne d'impatience, ce retard l'exaspère. Il arpente la jetée en essayant de persuader les pêcheurs de nous louer un bateau. Il parvient bientôt à ses fins et, triomphant, nous fait signe de le rejoindre.

Le bateau est plus grand que les barques de location et nous remontons très vite l'estuaire. Je suis assise sur un coussin, à la proue. Clive tente d'abord d'aider Roger à manier les voiles, mais après s'être fait rabrouer à plusieurs reprises, il vient avec moi à l'avant. Roger est à la barre, les cheveux balayés par la brise vigoureuse. Je vois qu'il est dans son élément, je m'enfonce dans mon coussin et j'admire les voiles gonflées par le vent.

– Nous devrions faire demi-tour.

Comme pour contredire Clive, le bateau vire à droite et nous fonçons en avant. Les yeux de Roger brillent, dans l'euphorie de la vitesse. Au-dessus de moi, je vois se tordre des nuages noirs, amassés contre l'azur. Soudain les voiles retombent. Elles pendent, molles et flasques comme des draps mouillés. Roger vire à gauche, mais cette fois, nous bougeons à peine.

– Il n'y a plus de vent.

Roger manipule les écoutes. Clive se relève sur le coude.

– Nous sommes beaucoup trop loin.

Je me redresse, inquiète. Je comprends que nous avons quitté l'estuaire et que nous sommes en pleine mer. Je sens les vagues frapper les côtés de la coque.

– Nous devons jeter l'ancre et attendre la marée, dit Clive avec une autorité qui me rassure. Il n'est pas question de nous laisser entraîner plus loin encore.

Roger fait la moue. Il manœuvre. Les voiles s'enflent dès que nous tournons et le bateau progresse de quelques centimètres, mais s'arrête presque aussitôt, lorsque cesse l'afflux d'air provoqué par le brusque changement de direction. Les voiles piquent du nez.

– À quelle heure démarre la marée haute ? Quelqu'un a pensé à vérifier ?

Cette fois, Roger répond à la question de Clive.

– Juste après minuit.

– Minuit !

Dans la protestation de Clive, je discerne l'habituelle nuance de plaisir contrarié.

– Quel ennui ! J'imagine que personne n'a emporté quoi que ce soit à manger ?

Il prend sa pipe et une blague à tabac.

– Quelle idée d'être allé aussi loin !

Roger l'ignore. La crispation de ses épaules m'indique qu'il ne cédera pas. Il se met à rembobiner les cordages.

– Enfin, l'ami ! Jetez l'ancre. C'est trop risqué.

Le bateau vire de bord et nous avançons d'un mètre. Aussitôt, avant de nous laisser entraîner par la marée descendante, Roger se prépare à virer à nouveau. Son visage laisse clairement présager ce qui va se passer. Il affrontera les éléments, il se battra jusqu'à l'épuisement plutôt que de s'avouer vaincu. Clive fume sa pipe, cette journée gâchée le rend boudeur comme un enfant. Je sais qu'il vaut mieux ne pas intervenir. J'ai appris à mes dépens ce qu'il en coûte de vouloir réprimander l'un ou l'autre de ces deux hommes.

J'ai tout de suite su que c'était la bonne. Symétrique et accueillante, avec son toit pentu et ses grandes fenêtres, c'était une maison telle qu'un enfant l'aurait dessinée. J'étais folle de joie quand tu m'as demandé de partager le loyer avec toi. Quand l'agent nous l'a fait visiter, un soudain souvenir de nos vacances à St. Ives m'a traversé l'esprit.

À la campagne, calculai-je, je serais libre. Clive resterait incrusté à Londres, Roger ne viendrait me voir que le week-end, et je pourrais donc à nouveau vivre à mon propre rythme. Les enfants auraient un jardin où jouer et je pourrais me remettre au travail. Le fait que nous aurions une maison indépendamment de nos maris semblait inaugurer une ère nouvelle.

À Asheham, mes journées prirent peu à peu un rythme qui me convenait. Le matin, je peignais, puis nous nous réunissions pour le déjeuner, et l'après-midi je jardinais tandis que les garçons jouaient à cache-cache parmi les pommiers ou creusaient les plates-bandes pour déterrer des trésors. Nous recevions souvent des invités. J'adorais l'impression d'être tout entière absorbée à la poursuite d'un objectif que dégageait la maison lorsque ses occupants s'attelaient à une besogne.

C'est à Asheham que j'ai pour la première fois essayé d'aller au-delà de la peinture de chevalet. C'est ici que j'ai senti que l'art pouvait s'intégrer la vie. J'ai découvert les plaisirs de transformer les objets de mon quotidien. J'ai copié les fresques de Fra Angelico sur le plâtre craquelé de ma chambre à coucher, j'ai créé une jungle de couleurs pour les garçons. J'ai décoré les murs et les portes, les meubles et les moulures, les ornant de personnages, de fleurs et de motifs abstraits. Mon travail s'en est élargi d'autant.

Je contemple ta lettre, puis je la plie en deux et je la range dans ma poche. Je pose mes coudes sur l'appui de fenêtre et je regarde le jardin. Le ton que tu emploies sonne faux. La tête de Julian émerge un moment de derrière les groseilliers et je lui fais signe. Il me sourit avant de redisparaître. Je ne comprends pas pourquoi tu as annulé ta visite. Pour ton anniversaire, j'avais prévu une fête-surprise, et maintenant j'ai tout préparé pour rien. Je laisse tes expressions tourner dans ma tête, j'essaye de saisir le message caché. Tu ne parles que de Leonard : son article pour *The Nation*, son rassemblement en faveur des Russes, son comité gouvernemental. J'ai beau ruminer sur tes mots, le sens reste le même. Leonard passe avant moi.

Parfois l'amour vient instantanément, avec une certitude aveuglante, parfois c'est une brume marine, qui enveloppe lentement le paysage jusqu'au moment où l'on ne se rappelle pratiquement plus à quoi ressemblait le rivage.

Quand ai-je cessé de voir Duncan comme l'amant de mon frère ? Quand ai-je commencé à m'éprendre de lui ? Je pense que c'était lors de ce tout premier week-end où Adrian est venu avec lui à Asheham, quand je l'ai regardé peindre dans le jardin. Je n'avais jamais connu Adrian avec un amant auparavant, et ce spectacle me déroutait curieusement. De la fenêtre de mon atelier, je les ai vus s'embrasser et j'ai senti la morsure de la jalousie.

Le lendemain matin, j'ai planté mon chevalet dans l'herbe à côté de celui de Duncan. Je l'épiais tandis que je mélangeais mes couleurs. Sa concentration avait une intensité contagieuse. J'ai eu l'impression d'y voir plus clair quand je regardais mon sujet après l'avoir regardé, lui. Quand je me suis mise à peindre, nous avons fait les mêmes gestes. Il n'y avait aucune rivalité, rien que le sentiment partagé d'un but commun. Depuis ces jours lointains avec Thoby dans la chambre d'enfants, je ne m'étais plus jamais sentie autant en communion avec un autre être humain. Je n'ai pas pu m'empêcher de tomber amoureuse.

J'ouvre la porte de la salle de bains. Duncan se tient devant le lavabo, son blaireau et son rasoir posés sur une serviette. Il se retourne et me salue, souriant jusqu'aux oreilles. J'ai passé l'après-midi à arracher des mauvaises herbes dans le potager, je suis fatiguée et j'ai envie d'un bain. Duncan fait mousser le savon sur ses joues, indifférent à mon désir. Non sans impatience, j'attends encore quelques instants puis, voyant que Duncan n'a aucune intention de hâter sa toilette, je décide de commencer à remplir la baignoire. Je regarde la vapeur s'élever en nuages paresseux à mesure que l'eau coule. Mes efforts m'ont donné mal aux jambes et au dos, et il me tarde de m'immerger dans la chaleur. Je retire mes chaussures et mes bas. Duncan redresse le menton lorsqu'il fait passer son rasoir à travers la patine neigeuse du savon à barbe. J'enlève ma robe et ma culotte, je les laisse tomber à terre. Je ne porte plus que ma chemise. Je sens que Duncan m'observe dans le miroir. Il sourit quand nos yeux se rencontrent et il brandit son savon. En réponse, je brandis le mien. Puis je soulève le bas de ma chemise et je la passe par-dessus ma tête. Je grimpe dans la baignoire.

Enveloppée dans plusieurs serviettes, je gagne ma chambre sur la pointe des pieds. Je mets une jupe et un chemisier que j'ai jetés sur le dossier d'une chaise. Le chemisier est plein de faux plis, il y a des taches de peinture sur la jupe, mais je suis indifférente à ces détails. Avec les mains, je rassemble mes cheveux en chignon et je les couvre d'un foulard safran.

Peu importe de quoi j'ai l'air. J'ai renoncé à toute idée d'être à la mode. J'ai irrévocablement écarté l'épreuve ridicule par laquelle on tente d'être bien habillé. Je noue mon foulard et je me rappelle le mal que je me donnais autrefois pour enfermer mes cheveux dans leur cage d'épingles. Ici, en matière de vêtements, le confort est mon seul souci.

Je descends. Un feu est allumé dans le salon et je m'accroupis devant la cheminée pour me chauffer les mains. Duncan lit sur le canapé. Soudain, je veux plus que tout au monde qu'il me passe les bras autour du corps. Je m'assieds devant lui et je pose la tête sur ses genoux. Il accepte mon hommage sans un mot.

Un cri retentit en bas de l'escalier.
– Ness ? Viens voir !

La voix de Roger fend le silence. Je tiens mon pinceau suspendu au-dessus de ma toile, priant pour que cette intrusion ne soit que passagère.

– Nessa ! Où es-tu ? Il faut que tu viennes !

L'appel de Roger semble se rapprocher. Je l'entends monter l'escalier. Je baisse la tête derrière mon chevalet et, pendant un instant de stupidité, je me demande si je serai ainsi invisible. Sa silhouette vient s'encadrer dans le chambranle de la porte.

– Te voici ! Le facteur vient de passer. Une carte de Saxon. Il a trouvé l'endroit idéal, un hôtel perché à mi-hauteur des Alpes suisses. Il nous suggère de prendre le premier train. Il dit que c'est vraiment très inspirant. Qu'en penses-tu ?

Le vent a poussé une feuille par la fenêtre ouverte, je la regarde tourner autour du support de mon chevalet puis tomber. Je ne veux pas aller en Suisse. Je ne veux pas de Roger. Souverain dans son enthousiasme, il se rend néanmoins compte qu'il n'a pas produit l'effet attendu. Il agite la carte postale dans ma direction et m'adresse un sourire conciliant.

– Une autre fois ?

Sa voix lutte pour conserver sa gaieté. Je sais que je l'ai blessé.

– Tu pourrais y aller seul.

Je risque cette suggestion, sachant que ce n'est pas ce qu'il souhaite.

– Non, non, ce n'était qu'une idée folle. Tu sais comme Saxon est convaincant lorsqu'il écrit.

Roger est maintenant tout près de moi, son bras pourrait me toucher. Son amour est un cloître, étouffant et morne. C'est plus fort que moi. Il faut que je me libère.

Le compotier repose au centre de la table, un plat blanc rempli de pommes vertes. Duncan a posé son chevalet devant le mien, si bien que, de ma place, je vois l'arrière de son crâne. Je voudrais glisser derrière ses oreilles les épaisses mèches qui lui tombent constamment dans les yeux, je voudrais passer les doigts dans sa crinière sombre. Je le regarde observer les étagères de l'autre côté de la table, je me demande s'il va les inclure dans sa peinture. Je décide de faire comme si elles n'existaient pas et de me concentrer sur les fruits. Je commence à esquisser les grandes lignes. Il y a une bouteille au bord de la table, son ombre tombe sur les pommes. Je comprends qu'il y a un lien entre le soleil et les fruits, et je le garde pour mon tableau. Duncan s'est déjà mis à l'ouvrage. Son pinceau va et vient entre les couleurs. Je suis plus lente dans mes mouvements. Chaque choix, chaque coup de pinceau est mûrement réfléchi. Nous peignons jusque tard dans l'après-midi. Je me laisse absorber par la cadence du travail et j'oublie un moment le monde extérieur. Seule la présence de Duncan est réelle. C'est comme si nous étions entrés ensemble dans une sphère différente. Nos yeux parcourent le même rai de lumière, convergent sur les mêmes objets.

Soudain, un cri perce le calme. Je le reconnais aussitôt. C'est Quentin qui se réveille de sa sieste, il a faim, il attire mon attention. J'essuie mon pinceau. Pour la première fois, je contemple ce que j'ai peint. Mes pommes sont colossales. Elles sont taillées dans le granit, monumentales. J'approuve. Elles dominent ma composition, et c'est très bien ainsi. Duncan peint toujours. Je jette un coup d'œil vers sa toile et je suis abasourdie. Alors que mon compotier et mes fruits sont hiératiques, presque laids dans leur solidité, les siens sont superbes, chatoyants. Sur son tableau, les fruits, la bouteille et la table font partie d'un échange complexe d'ombres et de lumières. Mon œil suit la répétition des courbes qui vont des pommes au plat en passant par les bocaux sur les étagères. Je remarque le dégradé subtil des nuances, et je le compare à mon usage grossier de la couleur. Je sais que je suis en présence d'un grand artiste. En montant l'escalier, j'éprouve mon habituelle sensation de médiocrité.

À ma grande surprise, je te trouve dans la chambre des garçons, assise près de la fenêtre avec Quentin dans ton giron. Il a cessé de pleurer, il joue avec un lapin en bois que tu lui as offert. Julian est agenouillé à tes pieds, il écoute attentivement ton histoire. Je me pose sur un des lits, craignant de déranger. Tu me regardes, mais, avant que nous ne puissions parler, Julian tire sur ta manche et exige que tu continues. Je ferme les yeux. Tu leur parles des fées qui jouent au fond du jardin. Je me rappelle les contes que racontait Maman, sur les créatures qui vivaient dans le vieux crâne de mouton que Thoby avait trouvé échoué sur la plage de St. Ives. Pour calmer tes craintes, Maman enroulait son châle vert autour des cornes et, en te bordant, elle disait qu'il ressemblait à une montagne, avec des vallées, des fleurs et des chèvres qui gambadaient. Je me lève et je me dirige vers la fenêtre. Duncan a fini de peindre, il fume dans le jardin, adossé à un arbre. Il a les yeux tournés vers le ciel et je songe combien il est beau. Quand je me retourne, tu me dévisages. Puis tu portes ton regard vers l'endroit du jardin où Duncan se tient encore. Il m'est impossible de te dissimuler l'amour que j'éprouve.

Leonard m'attend quand le taxi se gare devant chez toi. Il vient à ma rencontre tandis que je paie la course. Je lis l'inquiétude sur son visage. Ka est déjà là, et nous nous embrassons pendant que Leonard énumère tes symptômes. Nous décidons qu'il faut tout de suite consulter le docteur Savage.

Je demande d'abord à te voir. Tu es couchée dans la chambre sombre et je m'assieds sur le lit à côté de toi. Tu ne me repousses pas. Je suis plus calme, car je sais à présent que le délire dont Leonard a été témoin appartient au passé. Je mets la main sur ton épaule et j'obtiens de toi la promesse que tu essaieras de manger.

Nous sommes dans la salle d'attente du docteur Savage quand Ka téléphone. Leonard blêmit lorsque l'infirmière lui tend le combiné. Je devine aussitôt ce que tu as fait.

Le taxi s'engouffre dans des rues noires de monde. Nous nous répétons les détails du message de Ka. Dès que nous arrivons,

Leonard ouvre la porte toute grande et court vers la maison. Je le suis lentement jusqu'à ta chambre. Avant même que Leonard ne trouve le flacon vide, je sais qu'il est inutile d'essayer de te réveiller. Les médecins passent la nuit à ton chevet. Nous n'avons pas le droit de te voir. Je reste assise au salon, à regarder le feu.

Je ne supporte pas l'idée d'une vie sans toi.

6

Le soleil se répand par la fenêtre. Je me retourne dans le lit, face à la lumière. Quand j'ouvre les yeux, je vois le roux et l'or des pommiers. Je reste un instant immobile et j'écoute les bruits de la maison. Tout est calme. Je pense à Duncan, qui dort dans la chambre voisine. Je me lève, je glisse mes pieds dans des pantoufles et je drape un châle sur mes épaules. Les pommiers dansent dans la brise, comme une mosaïque animée. Je descends et je place la bouilloire sur le feu.

Duncan apparaît quelques minutes après moi, les yeux encore ensommeillés. Il s'assied sur l'un des tonneaux renversés que j'ai réquisitionnés comme chaises et il me prend la main. J'appuie mes lèvres sur son crâne, j'absorbe son odeur animale, je sens sur ma joue le contact rugueux de ses cheveux. Nous restons ainsi un moment, et je regarde les dernières hirondelles se jeter sur les miettes que j'ai jetées dans la pelouse. Duncan lâche ma main. C'est signe que je dois me retirer. Je m'occupe du petit-déjeuner, j'embroche les tartines sur les dents de ma fourche et je les fais griller au-dessus du feu. Nous mangeons comme des paysans, sans couverts ni assiettes, riant de notre malpropreté avec un plaisir complice. Je regarde les étagères et je me demande ce que je peux préparer pour ce midi. Il y a des œufs de la ferme. Tout à l'heure, je déterrerai des pommes de terre et des carottes du jardin. Nous avons du lard et quantité de conserves. J'attrape un pot de confiture pour accompagner les toasts. Confiture de fraise, fabriquée l'été dernier. Je trouve une cuiller et je passe le pot à Duncan. Il prend la cuiller et la pose près d'un vase de fleurs que j'ai choisi pour la table. Je le vois étudier cette composition, en enregistrer les contours et les angles, la soupeser comme un sujet à peindre. Je cherche une deuxième cuiller, mais je n'en trouve pas. Alors Duncan met le doigt dans le pot et le porte jusqu'à ma bouche. Je lèche pour le nettoyer de la confiture sucrée et poisseuse. Il replonge le doigt dans le pot. Nous arriverons à survivre à la guerre imminente.

Il y a deux personnages. À droite, l'artiste debout devant son chevalet. Je me donne du mal pour sa pose, qui doit exprimer aussi bien le brio que le zèle, la sensibilité que la résolution inébranlable. Je donne à l'artiste des habits sombres et spectaculaires. Je ne peins pas les traits de son visage. Ce sont ses mains qui comptent, et je m'y reprends à plusieurs fois avant de trouver la bonne position. J'ai de la peine à saisir leur liberté, leur fluidité. À la fin, je les laisse imprécises, je préfère une allusion à leur habileté plutôt que risquer de les réduire à une forme. J'installe la femme à genoux aux pieds de l'artiste. Elle ne doit pas détourner l'attention de son éminence à lui. Je l'habille simplement, d'une jupe sombre et d'un chemisier blanc. Son visage à elle aussi, je le laisse neutre. C'est la courbe de sa tête, l'arc de ses épaules tandis qu'elle s'accroupit au-dessus de son tableau, qui suggèrent le lien avec le maître. L'espace entre ces deux personnages est crucial. Il doit sembler à la fois illimité et proche. Voici ce que nous devons sentir : la proximité de cet homme est vitale, mais c'est parce qu'il est détaché, un peu à l'écart, que la femme peut travailler. J'opte pour des barres de couleur – vert, orange, blanc, mauve, bleu – pour remplir l'espace. Je m'applique pour peindre chacune de ces bandes. J'atténue ou j'enrichis, j'ajoute de la texture et de la profondeur. Les couleurs doivent signifier la puissance de ce couple, la force des peintures que nous ne voyons pas.

En reculant pour examiner ma toile, je remarque un détail extraordinaire. Malgré mon intention de mettre l'accent sur l'artiste, c'est l'arrière-plan rayé et la luminosité de la femme agenouillée qui attirent l'œil. J'étudie mon tableau plus attentivement. Alors que l'artiste est lugubre, plombé, la femme rayonne de vie. Elle est dans son élément lorsqu'elle peint. Les nuances de son chemisier, l'éclat orangé de sa bottine, tout cela est en harmonie avec le fond vibrant. Je comprends que j'ai accompli une chose rare. J'ai peint une femme heureuse.

– Tu te coupes de la réalité ! Tu ne peux pas simplement te cacher la tête dans le sable et faire comme si la guerre n'existait pas !

Je suis furieuse. J'avais espéré que tu approuverais mon programme de déménagement hors de Londres et d'installation permanente à la campagne. Je regarde les rangées de livres de Leonard sur les étagères derrière toi. De là où je suis assise, je distingue quelques titres : *Démocratie, Gouvernement international.* Je me sens mi-honteuse, mi-provocatrice. Je sais tout le sérieux de ce qui est en train de se produire.

– Mais crois-tu vraiment que tout ça... (je désigne vaguement la pile des papiers de Leonard, bien rangée sur la table)... puisse faire la moindre différence ? Après tout, ils ont brûlé le pamphlet de Clive. Cela n'a servi qu'à renforcer l'adhésion à la guerre. T'ai-je dit qu'en revenant du village, la semaine dernière, Duncan a reçu une pluie de plumes blanches et qu'ils l'ont traité de lâche ? C'était horrible. Deux des garçons bouchers nous ont suivis tout le long de la rue.

Je soupire. Depuis toujours, je trouve la politique impossible à comprendre. Je ne suis même pas sûre d'être favorable au vote des femmes. Cela paraît tellement sans rapport avec les choses importantes. De nouveau aujourd'hui, l'idée que les pays d'Europe se battent entre eux me semble une telle folie que j'ai bien du mal à l'appréhender.

– Même si nous ne nous laissons pas entraîner par le chauvinisme, nous ne pouvons pour autant l'ignorer. Maynard dit que, depuis l'affiche de Kitchener, tous ses meilleurs étudiants de Cambridge se sont engagés. Nous devons pour le moins déterminer ce que signifient tous ces mots qui décident de notre sort.

Je contemple ton carnet renversé à terre près de toi. Tu veux que je vienne parler à la Guilde des femmes de Richmond, je ne l'ai pas oublié. Mon silence t'apaise. Quand tu reprends la parole, c'est d'une voix plus douce.

– Et puis, à la fin, ton art en souffrira.

Je me hérisse. Voilà qui m'inspire une réaction passionnée.

– La politique n'a rien à voir là-dedans ! Quand je travaille à un tableau, ce que je cherche, ce n'est pas le monde dans son entier. C'est la relation entre l'objet devant moi et mes marques sur la toile. Quand je me mets au travail, je ne sais jamais ce que ce sera, mais quand je le trouve, je le sais toujours. C'est ce qui donne sens à tout le reste. Ça peut être un écho, une répétition, un mouvement, ou ça peut être un simple trait entre deux masses.

Je m'arrête. La vieille crainte qui me taraudait, la peur que tu ridiculises tout ce que je dis résonne dans ma tête. À ma grande surprise, tu écoutes attentivement. Pour la première fois depuis mon arrivée, je te regarde. Tu es encore pâle après ta maladie, mais tu as quelque chose de différent. J'admire tes joues rebondies, la chair rose de ton cou, la courbe ample de ton ventre. Une nouvelle idée me traverse l'esprit.

– Tu as grossi !

Tu es radieuse, amusée par ce changement de sujet.

– Oui. Leonard n'a pas dirigé toute une province de Ceylan pour rien. Quand je mange tout mon repas, on me donne des bonbons !

Je te dévisage, ma pensée gagnant en profondeur et en effroi.

– Es-tu enceinte ?

Tu rougis, tu détournes les yeux. Je suis trop alarmée pour m'inquiéter d'avoir pénétré en territoire sensible. Je poursuis.

– Je croyais que vous aviez décidé... Leonard m'avait écrit...

– Quoi ? Qu'il pense que je ne devrais pas avoir d'enfants ? Eh bien, pourquoi ne devrais-je pas ? Savage n'y voit aucun mal, et Jean Thomas dit que si je suis prudente, ça pourrait me faire un bien fou. Tu n'aimerais pas avoir des neveux ?

Je regarde le sol. Je n'ai même pas songé que tu pourrais avoir des enfants.

– Et ta maladie ? N'y a-t-il pas un risque qu'un accouchement la fasse revenir ?

Je brandis des obstacles dénichés au hasard.

– Donc tu es contre moi, toi aussi.

Je me sens aussitôt coupable.

– Ce n'est pas ça. Je ne veux pas que tu retombes malade, voilà tout. Une grossesse vide parfois une femme de son énergie.

Avant que tu ne puisses répondre, Leonard entre dans la pièce, apportant le thé sur un plateau. Il distribue les tasses avant de s'asseoir à côté de toi sur le canapé. Tu t'éclaircis la gorge.

– Nessa a décidé de fuir pour la campagne. La suivrons-nous ? Nous aurons besoin de place pour toutes les mangoustes et les mandrills.

Je vois à ton sourire que c'est ton jeu secret. Leonard presse ses paumes comme s'il s'agissait de pattes et se met à agiter la tête. Il se gratte une crinière imaginaire. Puis il te passe une patte autour du cou et fait semblant de t'épouiller. Tu fourres ton museau au creux de ses mains pour les lécher. Je repose ma tasse sur le plateau et je me lève.

– Il faut que j'y aille. J'ai promis de retrouver Duncan à l'atelier.

Tu me raccompagnes à la porte. La comédie à laquelle se livre Leonard dans le rôle du singe s'interpose entre nous. Autrefois, tu étais mon petit animal. Alors que je suis sur le point de sortir, tu mets ta main sur mon bras.

– La vérité, Ness, c'est que si tu t'installes à la campagne, tu me manqueras horriblement.

Je suis à Londres avec Duncan pour un des soupers de Maynard. Il nous fait signe lorsque nous entrons dans le restaurant et nous désigne deux sièges libres tout au bout de la table. Dociles, nous nous asseyons de part et d'autre d'un grand jeune homme puissamment bâti. Je me sens écartée de Duncan et je voudrais pouvoir changer de place. Maynard nous adresse un discours de bienvenue, puis Lytton raconte une plaisanterie salace et nous hurlons tous de rire. Le jeune homme ne partage pas notre hilarité, je le remarque. Il est nerveux, il joue avec son couteau d'un air embarrassé. Je ne suis pas la seule à observer sa timidité. Duncan engage la conversation avec lui, il cherche à le mettre à l'aise. Je sirote mon champagne en essayant d'accepter mon exclusion. J'entends le jeune homme dire que son prénom est David mais que ses amis l'appellent Bunny. Ce soir-là, Duncan et lui deviennent amants.

Je rentre seule à la maison. Dans le taxi, je ne sais pas ce que j'éprouve. Je me représente les deux hommes au lit ensemble, les bouches qui s'ouvrent, affamées l'une de l'autre, les mains qui arrachent des vêtements importuns. Je resserre mon châle autour de mes épaules et j'appuie ma tête contre la vitre, heureuse de sa solidité. Je me sens vieille et seule, intruse et indésirable dans le jeu de mes enfants. Le taxi ralentit, s'arrête, j'ouvre la portière et je sors. Je paye le chauffeur et j'entre chez moi. Puis je monte me coucher sans prendre la peine de me déshabiller. Je ne peux plus maintenant qu'attendre le sommeil.

Je suis réveillée par le tintement persistant de la sonnette de la porte. J'ouvre les yeux et je suis stupéfaite de voir le soleil se répandre par la fenêtre. Je me redresse sur les coudes et je contemple, effarée, ma robe du soir et mes escarpins. Puis je me rappelle. Avant que je n'aie le temps de faire le tri parmi mes émotions, j'entends une voix, le bruit de visiteurs qu'on introduit dans le vestibule. J'entends des protestations, des explications, des pas dans l'escalier. Finalement, on frappe à ma porte. Je n'ai pas le temps de répondre. Duncan fait irruption dans la chambre, le sourire radieux, et il se vautre sur mon lit. Bunny le suit, tout penaud. Ma colère monte et déborde. Duncan se penche et étouffe mes récriminations sous les baisers. Bientôt je souris, moi aussi. Puis nous nous câlinons, nous rions, et je sais que, malgré ce qui vient d'arriver, rien ne peut détruire le lien qui nous unit. Duncan tend le bras et invite Bunny à nous rejoindre sur le lit.

Duncan veut que Bunny pose pour nous. Je me tiens à l'écart tandis que Duncan l'entraîne dans la pièce qui me sert d'atelier. Je fais mine de manipuler mon chevalet. Duncan, lui, règle les détails de la position : il essaye d'abord de placer notre modèle debout, puis assis, il ouvre les rideaux, les referme pour régler la lumière. Pendant tout ce temps, je sens combien il est impatient de commencer à peindre. Quand nous nous y mettons enfin, l'intensité du regard de Duncan sur Bunny crée entre les deux hommes une pulsation affective qui semble remplir la pièce. J'oblige mes yeux à ne pas quitter ma toile et je m'empare de mon pinceau. Si je veux terminer ce tableau, je dois passer outre mes sentiments.

Ensuite, quand nous comparons les deux portraits, je préfère considérer le mien comme un échec. Alors que Duncan a produit l'effigie d'un jeune homme séduisant, au fort potentiel sexuel, j'ai peint la caricature d'un garçon mou, au visage blafard. Il y a un magnétisme vibrant dans le modelé du torse nu par Duncan, il y a de l'énergie et de la tendresse dans son rendu du visage. Sur ma toile, les plans de couleur se heurtent, des taches grossières de rose, de citron, de brun. Les traits verts que j'ai mélangés à mes teintes chair donnent une lueur maladive à la peau de Bunny. Ses yeux sont de simples pois, synonymes de faiblesse, d'égoïsme, et même d'avidité. Je comprends que j'ai peint ma jalousie.

J'écris à Bunny. Je pose la feuille à plat sur la table et je prends ma plume. Ce n'est pas si difficile. Je ne fais que mettre en forme des mots, après tout. Les mots ne peuvent pas faire de mal, percer et lacérer la chair, anéantir votre équilibre et votre sentiment de soi. J'invite Bunny à venir vivre avec nous. J'ajoute une description de la maison et du jardin, j'évoque la beauté des pommiers en fleur sur la pelouse, je promets de délicieux repas, la tranquillité idéale pour écrire. Je vante les vertus du nouveau système d'alimentation en eau, je l'assure que le verger sera un vrai paradis pour ses abeilles. Je le courtise en lui affirmant qu'il nous manque cruellement.

Je relis ma lettre, surprise par mon aptitude au mensonge. Duncan fait les cent pas devant le feu. Il porte une couverture par-dessus ses vêtements mouillés, ses cheveux emmêlés ruissellent. Il est amer et impatient, il accuse la pluie. Il me rappelle un lion que j'ai vu jadis avec Papa, qui arpentait sa cage au zoo. Je me rappelle avoir trouvé son sort affreux, condamné à toujours rêver d'évasion. Je signe ma lettre et je la glisse dans une enveloppe. Je mets mon manteau et mon chapeau pour aller la poster, malgré le mauvais temps. Je sais que si Bunny n'arrive pas très vite, Duncan partira.

Tu te tiens près de la cheminée et tu examines les grappes de fruits que j'ai peintes sur ce mur affreux. La peinture commence déjà à s'écailler, mes motifs se déforment avec la chaleur. Les vestiges de la fête d'hier soir sont encore sur la table, nos costumes éparpillés sur les chaises. Je vois que tu regardes la perruque de laine et les seins en papier mâché qui constituaient le déguisement de Duncan. En hâte, je ramasse les habits et je débarrasse la table. Il est presque midi, Duncan et Bunny ne sont pas encore levés. Je pense aux horaires stricts que tu observes avec Leonard, et j'ai honte. Je sais que normalement, à cette heure-ci, tu as déjà écrit plusieurs centaines de mots. Tu t'assieds sur l'une des chaises que j'ai déblayées et je songe combien ma vie doit te paraître dénuée de substance. Par la fenêtre ouverte, j'entends Julian et Quentin jouer dans le jardin. Ils ont rempli d'eau une vieille baignoire et ils s'arrosent à tour de rôle, le froid les fait couiner et glousser. J'ai conscience que dans quelques minutes ils vont débouler dans la pièce, semer partout leurs vêtements et des serviettes humides lorsqu'ils passeront à un nouveau jeu. Je décide de n'accorder aucune importance à ma migraine et de prendre la situation en main.

– Donc tu es résolue à louer la maison. Cela me paraît une excellente idée, je dois dire. C'est une propriété tout à fait saine. Et ainsi tu auras le choix entre Leonard et la campagne.

– Oui. Leonard pense que cela me fera du bien d'être hors de Londres.

Ta réponse ne me permet pas de déterminer si tu partages ou non le point de vue de Leonard. Comme je l'avais prédit, Julian et Quentin surgissent dans la pièce, nus à part quelques traits de maquillage, souvenir de la fête. Julian ralentit en te voyant, puis il court vers toi. À mon grand étonnement, tu ris à sa vue et tu le laisses fouiller dans tes poches. Lorsqu'il découvre un bonbon, tu fais semblant de vouloir le lui reprendre, tu te prétends contrariée lorsqu'il t'évite et file vers la porte. J'attends que le calme revienne.

– Je suis désolée. Nous nous sommes tous couchés beaucoup trop tard hier soir. Nous avions laissé les garçons se déguiser avec nous et ils sont encore tout excités.

– C'est ce que je vois. C'était une fête de famille ?

– Non, enfin… L'anniversaire de Bunny. Duncan a voulu une fête costumée.

J'ai beau tâcher de maîtriser ma voix, j'hésite en prononçant le nom de Bunny. Tu m'observes.

– C'est toi qui as tout organisé ?

– Bunny…

Je m'interromps, dans ma confusion.

– Ness ? Qu'y a-t-il ?

Je crache le morceau. Je ne peux m'en empêcher. Il faut que j'en parle à quelqu'un.

– Une fois les garçons couchés, Duncan s'est endormi sur le canapé. Nous avions tous beaucoup bu, Bunny et moi avons décidé que le mieux était de le laisser là. J'ai trouvé une couverture, j'ai éteint les lumières, nous sommes montés nous coucher, Bunny et moi. Quand j'ai pris le chemin de ma chambre, Bunny m'a pris le bras et m'a remerciée pour la fête. Je lui ai souhaité un très bon anniversaire et il m'a embrassée sur la joue. Mais le baiser ne s'est pas arrêté où il aurait dû et j'ai été obligée de... me dégager.

– Et tu n'avais pas envie de lui ?

– Non, bien sûr que non ! Je sais ce que tu penses... Je ne suis rien du tout... Mais coucher avec Bunny m'aurait fait l'effet d'une infraction.

Je fonds en larmes. Peu m'importe désormais ce que tu penses de moi. L'échec de ma vie t'est rendu manifeste. Tu te lèves et tu viens t'agenouiller devant moi.

– Ne pleure pas, ma chérie.

Tu attires ma tête sur ton épaule et tu me berces doucement d'avant en arrière.

– Tu ne crois pas vraiment ce que tu dis. Regarde simplement autour de toi.

Je lève la tête.

– Quoi ? Les enfants sont incontrôlables, la maison tombe en ruine, mes peintures ne se vendent pas.

Tu m'embrasses le visage.

– Ne sais-tu pas à quel point j'aime venir ici ? Ne sais-tu pas que je renoncerais à écrire dès demain si je pouvais échanger mon art contre un fragment de tout ça ?

Je te dévisage, incrédule. Tu désignes la cheminée, les pêches et les abricots mûrs que j'ai peints tout autour. Ta main suit le motif de la tige et des feuilles, rattachant les fruits, imposant une forme à l'anarchie de ma décoration. J'entends Julian et Quentin jouer gaiement dans le jardin. Bientôt, Duncan fera son apparition, j'irai dans la cuisine m'occuper du déjeuner. Peu à peu, les miettes de ma vie, les débris de la fête, les vêtements éparpillés par les enfants, ma cheminée à moitié peinte, tout cela forme un tout. Tu as composé un tableau.

– Continuez, je vous mets au défi.

Marjorie prononce ces mots comme si elle jetait son gant. Duncan me donne un coup de coude.

– Vas-y, Ness ! On va bien rire !

Son enthousiasme m'étonne.

– Très bien.

Je m'installe sur les coussins de soie que Marjorie a disposés à côté d'elle. Elle me prend la main et en tourne la paume vers le haut.

– Vous êtes bien assise ?

Je hoche la tête. Marjorie ferme les yeux et inspire profondément, à plusieurs reprises. Je contemple une broche incrustée de pierres précieuses et représentant deux dragons combattant, qu'elle a agrafée à sa robe. Marjorie ouvre les yeux et étudie ma main. Elle a dans les cheveux une plume de paon qui oscille chaque fois qu'elle bouge.

– Vous avez une forte ligne de vie. Même si elle est brisée par endroits, ce qui est signe de maladie, vous vivrez jusqu'à un âge avancé.

Le ton de Marjorie est convaincant. Malgré mon scepticisme, je suis curieuse de savoir ce qu'elle va me révéler ensuite.

– Vous aurez un, deux, trois, quatre... non... trois enfants.

Mon cœur cesse de battre et je me demande si Marjorie a entendu ma prière secrète. Je regarde Duncan, qui écoute avec intérêt cette prédiction.

– Vous aimerez et serez aimée passionnément, mais...

Marjorie rapproche ma main de son visage, comme pour vérifier l'exactitude de sa prophétie.

– ... ce ne sera pas nécessairement la même personne.

J'ai le souffle brûlant, ma respiration s'accélère. Duncan fronce les sourcils.

– Et sa personnalité ? Il doit bien y avoir des indices.

Je sens qu'il a envie de changer de sujet. Marjorie scrute ma paume une fois de plus.

– Secrète. Taciturne. Jalouse. Vous cachez quelque chose... Une blessure, peut-être ?

Je frémis, soudain démasquée. Je retire ma main et me lève.

– Allons, Duncan, c'est ton tour. Voyons un peu quels secrets tu caches.

La guerre commença à se faire sentir. Maynard rapportait du ministère de l'Économie de terribles histoires de zeppelins ; Rupert mourut au combat en Turquie. La conscription obligatoire se rapprochait. Le père de Duncan consentit à lui louer une ferme dans l'espoir que cela lui épargnerait le service actif, le moment venu.

Nous ne nous attendions pas à un tel état d'abandon. Les arbres fruitiers n'étaient plus entretenus, et la plupart des champs étaient si saturés de mauvaises herbes qu'on avait peine à y marcher, par endroits. Les poulaillers étaient pourris, les volailles restantes s'étaient réfugiées dans une grange inutilisée. Quelques moutons sous-alimentés étaient blottis dans un coin de la cour, arrachant tristement des brins de paille à une meule échevelée. Quant aux vaches, leur localisation était un mystère que nous ne pûmes jamais résoudre.

Pendant que Duncan et Bunny taillaient les arbres fruitiers, je me mis au travail dans la maison. Je peignis par-dessus le papier peint, j'enlevai les cotonnades moisies laissées par les précédents habitants. Je teignis les rideaux et les enveloppes de coussins, j'accrochai nos tableaux aux murs. Je m'occupai de chaque pièce l'une après l'autre, créant des espaces de vie et de travail. Quand tout fut aussi confortable que possible, je pus aider Duncan et Bunny à la ferme.

Nous étions d'accord : il fallait labourer les champs. Nous avions trouvé une charrue en état de marche dans l'un des bâtiments, mais personne ne voulait nous prêter de cheval. Jour après jour, Bunny faisait la tournée des fermes voisines. C'était toujours la même histoire : tous les chevaux travaillaient déjà. Je finis par proposer que nous essayions de tirer la charrue nous-mêmes. C'était un travail exténuant et, au bout de quelques heures à peine, nous dûmes nous avouer vaincus. Nous nous traînâmes péniblement à la maison.

Et pourtant. Notre vie avait alors un sens, une sérénité bien particulière. En entendant les enfants jouer à cache-cache dans le jardin, il était facile d'oublier les combats sur le continent. J'installai un atelier dans la moins décrépite des granges et je peignis les fleurs du verger. Quand nous récoltions les pommes et les poires, j'éprouvais une sensation de plénitude. Notre curieux triangle semblait tellement plus sensé que la guerre. Mon vœu silencieux, quand j'ouvrais les yeux chaque matin, était que rien ne vienne troubler notre paix.

Quand la maison devint trop froide, nous nous installâmes dans une grange où le poêle tirait mieux. Je dormais dans un lit clos encastré dans le mur, Duncan et Bunny étalaient des tapis à terre. J'envoyai les enfants séjourner chez Clive, et nous ne vîmes personne pendant plusieurs semaines. Les deux hommes s'occupaient des animaux, je préparais des repas avec les malheureux ingrédients disponibles. Quand je pouvais, je travaillais. Je peignis les arbres réduits à l'état de squelette, l'épais cocon de neige qui effaça brièvement le monde. Je sentais que si j'attendais assez longtemps, tout s'arrangerait. Blottis ensemble durant les sombres soirées d'hiver, le nœud tendu du désir de Duncan commença à se desserrer. Tous les matins, je contemplais le paysage gelé pour y chercher les signes du printemps.

Le jour où Bunny annonça son intention de s'en aller, j'accueillis la nouvelle comme une libération attendue. C'était ce dont je rêvais depuis si longtemps. Mais je savais que je devais me montrer prudente. Quand nous pûmes enfin nous rétablir dans la maison, je suspendis au-dessus de la cheminée son portrait par Duncan, comme rappel de la place qu'il avait tenue. Je lui écrivais pour le tenir au courant de notre existence. Bunny répondait en évoquant son action en France, la terrible situation des réfugiés qu'il aidait. Quand je lisais ses lettres à haute voix, Duncan écoutait en silence.

C'est le 31 décembre. Tu portes une robe gorge-de-pigeon avec un col et des ornements en dentelle. Leonard préside, il distribue les boissons. Je suis assise en face de toi et j'essaye de te faire rire avec les anecdotes de mon Noël à Garsington. Tu parais fatiguée. Tes yeux ont cet air opaque que j'ai appris à redouter. J'ai envie de m'avancer pour passer un bras autour de ton corps. Mais non, je décris la pantomime à laquelle nous avons tous participé, et les extraordinaires déguisements d'Ottoline. Je te demande comment tu vas. Avant que tu ne puisses répondre, Leonard arrive, il a peur que tu sois fatiguée. Tu secoues la tête lorsqu'il te suggère d'aller te coucher. Je te vois reprendre vigueur, lancer une question à Maynard, puis une autre à Clive. Leonard reste un moment près de nous, puis, voyant qu'il n'aura pas gain de cause, il reprend son rôle de maître de maison. Inévitablement, la conversation roule sur la guerre.

– Donc tu penses que ça va arriver.

Personne n'est dupe du ton désinvolte de Clive. Nous nous penchons tous pour saisir la réponse de Maynard.

– Oui. Ce sera annoncé dans moins de quatre jours. La conscription obligatoire pour tous les hommes âgés de dix-huit à quarante et un ans qui n'ont pas charge d'âmes.

Il y a un moment de silence pendant lequel chacun procède à ses propres calculs. Duncan est le premier à le rompre.

– Je refuserai purement et simplement. Quel est le pire qu'on puisse me faire ?

– La prison. Les travaux forcés. Avec tout ce que ça signifie.

À ces mots de Maynard, Duncan change de couleur. J'imagine soudain Duncan en prison, incapable de peindre, son élan brisé.

– Il y a sûrement d'autres solutions ?

C'est la première fois que Bunny parle. Il avale d'un trait la boisson que Leonard lui donne.

– Oui. On peut demander à être exempté. Pour raison de santé, en général. Il y a une clause pour les objecteurs de conscience. Elle est limitée, cependant, et dépend en premier lieu des tribunaux locaux.

Clive grogne.

– Nous savons tous ce que ça veut dire. Des esprits obtus dont la seule motivation est l'intérêt personnel.

Duncan bondit sur un fauteuil et mime le magistrat malveillant, roulant de gros yeux, fouettant avec jubilation un tire-au-flanc imaginaire. Nous nous joignons tous à la plaisanterie. Clive chante *Rule Britannia*, tandis que Maynard énumère des raisons de plus en plus absurdes au refus d'exemption du service actif. Bunny s'avachit sur sa chaise et fait semblant de ronfler, tel un juge paresseux et ventripotent. Leonard joue le général intrigué, étudiant une carte invisible et se grattant la tête alors qu'il tente de repérer ses troupes. Même toi, tu te frottes les mains avec une joie feinte à la perspective du carnage. Nous applaudissons, nous crions des bravos, reconnaissants pour le soulagement que cette petite comédie nous a procuré. Le sérieux de cette nouvelle étape de la guerre n'échappe à personne.

Il y eut deux audiences. Lors de la première, à laquelle j'ai assisté, les fermiers qui composaient le jury refusèrent à l'unanimité d'accorder le statut d'objecteur de conscience à Duncan et à Bunny. Pendant quelques semaines atroces, la prison sembla inévitable. Je fis tout ce à quoi je pouvais penser pour protéger Duncan. J'écrivis à tous les gens que j'espérais capables d'influence, en leur demandant d'intervenir en notre faveur. À la fin, la seconde audience vit notre succès grâce au témoignage de Maynard. Le statut fut concédé à Duncan et Bunny, à condition qu'ils participent à une action « d'importance nationale ».

Ce soir-là, nous ouvrîmes tous les trois la dernière bouteille que Bunny avait rapportée de France. Couchés épaule contre épaule sur le tapis devant la cheminée, nous contemplions le plafond. Nous étions ivres, et la nuit qui s'appuyait aux fenêtres semblait nous offrir sa protection. Les yeux perdus dans les ombres, Bunny imaginait des champs de blé mûr, des vergers chargés de fruits. Duncan y ajoutait des poules pondeuses prolifiques et des troupeaux de moutons bien nourris, tandis qu'à mon tour, je créais des cageots pleins de légumes du jardin, des bouquets d'herbes séchées, des pots de confitures. Ensemble, nous fabriquions un paradis, des corps enlacés, à tel point que la guerre n'était plus qu'un lointain enfer, une conflagration absurde qui, après avoir brûlé tout son soûl, finirait par s'éteindre.

Le lendemain matin, je me levai de bonne heure, laissant dormir Duncan et Bunny. Je m'habillai en hâte, je jetai dans un sac la moitié d'un pain, deux pommes, un reste de fromage de notre festin de la veille. Il faisait encore noir quand je sortis ma bicyclette du hangar et que je partis sur le chemin. Je songeais à notre proximité lorsque nous étions allongés devant le feu, à notre volonté commune de survivre. Tandis que je pédalais, je sentis la force revenir dans mes membres. L'air frais me ranimait, rendait ma résolution inébranlable. Je savais ce que j'avais à faire. Pour satisfaire le tribunal, Duncan et Bunny ne devaient pas être leurs propres employeurs. Il fallait que je leur trouve du travail.

À la gare, j'achetai un billet et j'attendis sur le quai. Je tâchai de me rappeler le jour où j'avais été présentée à M. Hecks, sur le marché de Lewes. Quand le train arriva, je hissai ma bicyclette dans la voiture du contrôleur et je me dirigeai vers les secondes classes. J'étais décidée à plaider notre cause. Je devais le faire en personne, une lettre n'aurait pas été aussi efficace.

J'inspirai profondément lorsque je m'arrêtai devant le portail. Je descendis de bicyclette et la posai contre le petit muret de pierre, puis je marchai jusqu'à la ferme. La porte d'entrée était entrouverte. Je sonnai et une bonne en tablier sale apparut. J'expliquai rapidement pourquoi j'étais venue. Sans un mot, la bonne désigna une grange adjacente, vers laquelle je courus. Malgré la pénombre qui y régnait, M. Hecks reconnut mon visage. Oui, répondit-il en réponse à mes questions frénétiques, il serait ravi d'engager deux paires de bras supplémentaires, et il promit de donner du travail à Duncan et à Bunny. Il ne me restait plus qu'à nous trouver une maison.

C'est toi qui fus la première à m'en parler. Leonard avait vu une annonce dans un journal local, et vous étiez allés voir tous les deux. La maison semblait offrir tout ce que je cherchais et, si je la prenais, me cajolais-tu dans ta lettre, nous serions à nouveau en mesure de nous rendre visite. Pourtant, la première fois, je n'ai remarqué que les défauts.

Quelque chose me retenait. Alors que j'avançais sur le chemin de terre battue, le ciel était nuageux. Cette fois-là, quand je franchis le portail, le cadre me frappa. Il y avait un étang devant la maison, ombragé par des arbres. Le soleil surgit de derrière les nuages, argentant les fleurs blanches des clématites. La maison avait un toit de tuiles rouges et des fenêtres trop grandes, comme si le constructeur s'était trompé dans les proportions.

Un certain M. Stacey m'ouvrit. Incontestablement, ces immenses fenêtres laissaient entrer beaucoup de lumière, et mon cœur se mit à battre lorsqu'il me fit faire le tour du propriétaire. Il y avait de quoi loger beaucoup de monde, et je traçais des plans dans ma tête. Ici une chambre pour Clive, là un bureau pour Maynard ; il y avait des pièces pour Duncan et les enfants, un atelier pour moi. Une porte latérale conduisait au jardin. Les soucis, les pavots, les digitales et les bleuets y poussaient dans une folle profusion. Je croyais entendre les cris insouciants des enfants jouant parmi les fleurs. J'imaginais Duncan peignant sur la terrasse, les invités parcourant la pelouse. Au centre de tout cela, je me voyais, pleine de vie, donnant à tous la force, recevant leur amour. Je pris ma décision. Je me tournai vers M. Stacey et lui déclarai que je signais pour un long bail.

7

Je m'essuie le front avec la main et je m'accroupis à nouveau. Le sol est chaud sous mon corps. En levant les yeux, je vois les nuages se pourchasser à travers l'azur. J'essaye de distinguer les châteaux et animaux fabuleux que j'y voyais quand j'étais enfant. Je prends mes haricots à rames et j'extirpe doucement les jeunes pousses de leur caisse. Je les place dans les trous que j'ai préparés, en tassant la terre autour des racines. Leurs tiges délicates frissonnent dans l'air. Elles s'enrouleront bientôt autour des bâtons que j'ai plantés et grimperont vers la lumière.

L'installation à Charleston n'a pas été facile. La maison n'a ni eau courante ni électricité, et la plupart des pièces restent vides malgré les meubles que Maynard nous a envoyés. J'ai peint les murs à la détrempe, mélangeant du rouge indien et du cobalt pour adoucir tout ce blanc, mais en dehors de ça je n'ai guère eu le temps de décorer. Avec les pénuries liées à la guerre qui s'aggravent, et Duncan et Bunny qui travaillent chaque jour à l'extérieur, ma priorité est le jardin. Parfois, quand je désherbe ou que je plante, je relève la tête et j'imagine une des pièces comme si c'était une toile vierge et j'essaye une composition dans ma tête. Je prévois une frise de lunes jaunes et bleues au-dessus de la fenêtre de Duncan, avec en écho contrasté des cercles verts et bruns sous le rebord. Je trouve une brindille et j'esquisse un vase de lys et de pavots pour sa porte. Je me demande si mes fleurs sont une compensation pour toutes les herbes que j'ai arrachées dans le jardin. La nourriture est si rare que nous devons consacrer chaque centimètre carré de terre à faire pousser des légumes et des fruits.

Je contemple mon œuvre. J'ai dit à Clive que je ne veux pas envoyer les garçons à l'école et que je me chargerai ici de leur instruction. J'ai engagé une gouvernante et trouvé quelques élèves de plus pour participer aux frais. Je déterre un pissenlit qui a germé au milieu des carottes. Je m'inquiète pour Julian. Quentin s'applique volontiers à ses leçons, mais Julian sabote tout ce que je lui demande de faire. Il s'agite dès que j'ai le dos tourné et il semble jaloux de l'attention que j'accorde aux autres enfants. Hier encore, tandis que j'aidais Anna-Jane pour sa nature morte, il a renversé à terre le compotier de fruits.

Je déballe les plantes que Duncan a rapportées de la ferme. Il y a encore tant à faire. Je creuse avec mes doigts les trous pour les pois, mes ongles forent la terre meuble. Je regarde l'horizon, par-delà le jardin. Firle Hill se dresse devant moi, sa grande masse courbe désertée. Il n'y a personne à qui me confier. Je suis comme le capitaine d'un navire qui doit supporter seul toutes les conséquences de ses actes. Parfois, la nuit, dans mon lit, j'ai l'impression d'entendre le souffle mêlé de tous ceux qui dépendent de moi. Je dois mener mon navire à bon port. Une guêpe bourdonne autour de mon visage et je la chasse avec la main. Je n'ai pas eu le temps d'enterrer les fruits pourris de l'an dernier, encore entassés dans le verger. Je termine mes pois et j'essuie mes mains sales sur ma jupe. Il est temps de donner aux enfants leur leçon de français. Puis je préparerai une soupe pour quand Duncan et Bunny rentreront affamés et épuisés de leur travail. Je me lève et je prends alors conscience d'une soudaine explosion au loin. Je comprends en tressaillant que c'est le bruit du canon. C'est la première fois que j'entends la guerre. Mon cri d'angoisse affole les corbeaux dans les ormes.

Tu viens nous voir avec Leonard. Quand tu arrives, je suis en train de peindre les carreaux de céramique autour de la cheminée du salon. J'ai passé la matinée à jardiner et mes vêtements sont tachés de boue. J'ai donné aux enfants une demi-journée de congé et, tout en travaillant, j'écoute Julian et Quentin dévastant les vestiges des arbustes avec des fusils improvisés. Je m'empresse de m'essuyer les mains sur un chiffon. Tu portes une robe bleu marine à large collerette, où je reconnais l'un des modèles des Ateliers Omega de Roger. Je dégage un espace afin que vous puissiez tous deux vous asseoir et je disparais dans la cuisine pour faire le thé.

Quand je reviens, tu es seule, tu examines les carreaux que j'ai peints. Je pose le plateau à terre entre nous.

– Leonard est parti chercher les garçons, dis-tu en guise d'explication avant de désigner l'un des carreaux. C'est censé être la mer ?

Je contemple l'image que tu me montres, en essayant de chasser l'idée insistante que je devrais aller chercher Leonard et ramener les garçons. Je sais qu'il me trouve trop indulgente avec eux, et qu'ils tireraient profit selon lui de règles plus strictes.

– Je suppose que je pensais à la mer, mais évidemment c'était surtout la couleur et le motif que j'avais le plus présents à l'esprit.

Tu réfléchis à ma réponse.

– Donc si tu ne pensais à aucun paysage de mer en particulier, que voulais-tu signifier avec cette marque ? demandes-tu en passant le doigt sur un trait noir, droit au milieu du carreau. Je pensais que c'était un phare.

Je regarde le trait. Je me rappelle l'avoir peint, sentant que les rouleaux de bleu avaient besoin d'un point d'ancrage.

– Je ne suis pas sûre d'avoir voulu signifier quoi que ce soit, mais bien sûr ça ne me dérange pas du tout que tu y voies un phare.

Je prends la théière et remplis deux tasses. Tu continues à examiner le carreau de céramique.

– Mais si ce n'est pas un phare, si ce n'est rien de particulier, pourquoi est-ce là ?

J'ajoute du lait au thé et je te tends l'une des tasses. Un cri à vous glacer d'effroi retentit sous la fenêtre et je lève les yeux. Le jardin paraît désert.

– Le bleu en avait besoin, le motif en avait besoin. Ça donne à l'œil un point d'appui.

Tu ne me laisses pas le temps de respirer.

– Alors tu veux inclure le spectateur ?

– Bien sûr. Mais je ne suis pas certaine de penser avant tout à mon public quand je peins.

– Je suis ravie de l'entendre. Même si, en fait, je crains de ne pas assez penser à mon lecteur. Quand j'écris, je le fais parce que cela me permet d'aller plus loin dans les choses, c'est une occasion d'entrer dans un univers d'où je serais normalement exclue. Alors que toi, si je comprends bien, tu te heurtes au problème inverse. Tu es déjà dedans, et le défi est de trouver un point de perspective pour ceux qui sont à l'extérieur de ton travail.

Je me lève.

– Tu prêtes trop d'intérêt à ce que je fais. Avant tout, je peins... pour ne pas ressentir.

J'en ai dit assez. Je ramasse mon châle et je décide d'aller chercher les garçons. Avant que je n'aie le temps de sortir, Leonard revient du jardin.

– Vous les avez trouvés ?

Mes mots se bousculent. Le visage de Leonard se fige en une moue alors qu'il secoue la tête. Je sens qu'il désapprouve ces jeux anarchiques. Je verse une troisième tasse de thé pendant qu'il s'assied à côté de toi. Il resserre ton foulard et ses doigts s'attardent sur ton cou. Tu lui saisis la main pour lui embrasser la paume. Je regarde le fond de ma tasse. La pensée du lit solitaire où je retourne chaque nuit vient me hanter. Des cailloux tintent sur la vitre. Je lève la tête et j'aperçois un visage.

– Thoby !

Tu me dévisages, avec un air d'incrédulité contrariée. Je me lève et m'approche de la fenêtre. Quentin apparaît dans l'encadrement de la porte, les cheveux ébouriffés, un sabre en bois à la main. Son frère accourt derrière lui.

– Bien. Te voici, Julian. Viens prendre ton thé.

C'est seulement en prononçant son nom que je prends conscience de mon erreur. Julian était le premier prénom de Thoby et, dans mon émoi, j'ai confondu les deux. Tu n'as jamais approuvé mon désir d'appeler Julian ainsi en mémoire de Thoby. Les garçons entrent et s'installent à terre près de toi. Ils rivalisent pour obtenir ton attention. Tu les taquines à propos de leur tenue débraillée, tu trouves des bonbons pour eux dans ton sac. Ils rient, applaudissent, suspendus à chacune de tes paroles. Je commence à craindre qu'en grandissant, ils s'éloignent de moi.

Je desserre à peine les dents pendant le reste de ta visite. Tu racontes une histoire, les garçons t'écoutent sagement. Je remarque à l'un de tes doigts une bague que je n'avais encore jamais vue. Quand vient pour toi l'heure de partir, je te regarde remonter l'allée, donnant le bras à Leonard, escortée par les garçons.

Je te demande de poser pour moi. Je parviens à justifier l'instant. Je plante mon chevalet dans le jardin, sentant que ma tâche sera plus facile si je te suggère simplement de rêvasser dans une chaise longue. Je sais combien tu détestes qu'on te regarde. J'esquisse les montants de la chaise, les contours de ton corps. Je travaille le terre de Sienne chaud de ta robe, le rouge flamme de ta cravate écarlate. Quand je peins, ma sensation d'isolement diminue. Toutes les blessures, toutes les déceptions que j'ai dû endurer s'estompent peu à peu, jusqu'au moment où il ne reste que ce que j'ai devant moi et le mouvement rythmique de ma main. Je pense à

Maman dans sa chaise longue, les yeux fermés lorsqu'elle s'autorisait quelques minutes de répit après le déjeuner, dans le jardin, à St. Ives. Mon pinceau restaure la caresse des mains, l'abri désiré des bras aimants. Je remplis le bord de ton chapeau, les bandeaux de tes cheveux encadrant ton visage. Je trace la courbe de ton nez, l'arc de ta bouche. Quand les traits de ton visage sont faits, je m'interromps pour en examiner l'effet. J'ai échoué. Je prends mon couteau et je racle la toile. Je regarde tes paupières closes, l'arrière de ton crâne adossé à la chaise. Je peins tout l'ovale de ton visage en couleur chair. Je regarde à nouveau. Cette fois, ton expression est impénétrable. Je pose mon pinceau. J'ai peint ce que tu es pour moi.

L'hiver est d'un froid mordant. Le matin, je m'enveloppe dans une vieille couverture dès que je sors du lit et je pars pour la cuisine préparer le petit-déjeuner de Duncan et de Bunny. Je pose la bouilloire sur le feu et je découpe le pain. Puis j'emballe le peu de nourriture que j'ai dans deux sacs de toile pour leur déjeuner. Il fait encore nuit quand Duncan et Bunny arrivent tout somnolents dans la cuisine, ils insèrent leurs doigts et leurs orteils couverts d'engelures dans des gants et des chaussures. Dans les bols que j'ai laissés à terre pour récupérer ce qui coule du toit, l'eau a gelé. Nos canalisations aussi sont gelées. Nous serons forcés de passer la matinée à traverser les champs avec nos seaux pour aller chercher de l'eau à la source. À la ferme, on récolte les navets et je me demande comment ils parviendront à creuser le sol. Je verse l'eau bouillante dans la théière, j'écrase les feuilles avec une cuiller contre le côté, en une vaine tentative visant à produire un breuvage plus fort. Il reste très peu de thé et cela fait des semaines que nous n'avons plus de café. Duncan accepte avec reconnaissance sa tasse de thé fumant. Il a l'air épuisé. Il n'est pas aussi solide que Bunny et ces mois de dur labeur commencent à lui coûter. Ses yeux sont gonflés à cause du manque de sommeil et sa peau a l'aspect parcheminé des documents anciens. J'ai envie de le prendre dans mes bras, de l'allonger dans mon lit et de l'y retenir jusqu'à ce qu'il s'endorme. Au lieu de quoi, je remue les cendres, je prépare le petit-déjeuner des enfants. Quand Duncan et Bunny ont fini de manger, je les embrasse et leur dis au revoir et, sur le pas de la porte, je les regarde s'avancer dans l'allée jusqu'à ce que le froid m'oblige à rentrer.

La guerre se rapproche. Sa folie pénètre dans la maison. Elle s'insinue par les portes, s'introduit dans les fissures, invisible, contagieuse, malfaisante. Julian frappe sa gouvernante si violemment que je dois appliquer une compresse froide sur le visage de la malheureuse. Je n'arrive plus à trouver de domestiques fiables. Un matin, Emily ne se présente qu'à dix heures passées, et quand je la réprimande, elle m'annonce qu'elle arrête. Elle peut gagner davantage, prétend-elle, à fabriquer des munitions pour la guerre. La pénurie de nourriture s'aggrave. Duncan est maintenant si fatigué qu'il s'endort régulièrement pendant son repas du soir. Souvent, nous devons le monter dans son lit, Bunny et moi. Moi aussi, j'ai envie de dormir. J'ai envie de remonter les draps par-dessus ma tête pour me réveiller ailleurs, quelque part où la vie n'est pas un tel combat.

Allongée, j'écoute le vent dans les arbres, j'essaye de ne pas entendre le martèlement des canons de l'autre côté de la Manche, ou les pas lents de Bunny devant ma porte. Il n'a pas encore renoncé à coucher avec moi. Je ferme les yeux et j'espère que son offensive cessera.

Un cri tout à coup. Je me redresse et, pendant un moment, je ne sais pas si ce son est réel ou s'il s'est produit dans ma tête. J'entends un bruit sourd, un nouveau cri, puis un autre. Je repousse la couverture et je cours à la porte. Il fait noir sur le palier, je tends l'oreille sans bouger. Les cris viennent de la chambre à l'autre bout du couloir. J'ouvre la porte. À terre, monstrueux enchevêtrement de membres qui se tordent à la lumière de la bougie, les corps nus de Duncan et de Bunny.

– Ça t'apprendra !

Avec un hurlement étouffé, Bunny se jette par-dessus Duncan. Les corps s'imbriquent.

– Salaud !

La voix de Duncan est entravée par la douleur. Je vois le poing de Bunny frapper à répétition la poitrine de Duncan. Je retire la couverture de mes épaules et je la jette sur les deux hommes. Mon action a l'effet désiré.

– Debout. Tout de suite.

Je reprends la couverture.

Bunny se lève péniblement, en nage, sur la défensive, le sang perlant d'une coupure à sa lèvre. Duncan reste à terre, immobile. J'entends sa respiration contrainte. Lentement, il parvient à s'asseoir. Je l'aide à se mettre debout. Il place un bras autour de mon épaule, titubant alors qu'il tente de recouvrer son équilibre. Je le reconduis dans ma chambre.

Je sais que je ne dois pas l'interroger sur la cause de cette bagarre. Je rejoins Duncan dans le lit et je le berce dans mes bras. Il pleure tout en venant se blottir contre ma chair. Lorsque sa semence se déverse en moi, je me demande si c'est à moi ou à Bunny qu'il pense.

Mary accepte de poser pour moi. Peu m'importe désormais qu'elle soit devenue la maîtresse de Clive. Je lui demande de rester debout, tête baissée, les yeux vers le sol. Ses cheveux sont noués en une unique tresse. Au début, je ne sais trop comment placer ses mains. J'essaye devant elle, puis sur les flancs. Aucune position ne convient ; il y a là trop d'ouverture, trop d'invitation. Je demande à Mary de mettre les mains sur sa tresse, comme si elle était encore en train de se natter les cheveux. Le geste fonctionne. Il contient le juste mélange d'introspection et de souci des apparences. J'esquisse rapidement le reste de sa silhouette, puis je tourne mon attention vers la baignoire. Réflexion faite, je décide de la soulever légèrement, d'en briser la rotondité en introduisant une ligne droite à la base. Mon pinceau s'attarde sur les contours. Je concocte un gris argenté pour les côtés, à base de traînées de noir, de blanc, de turquoise, de rose pâle. Je m'interromps avant de peindre le fond, j'hésite entre les couleurs que j'ai utilisées pour les côtés et les riches bronze et or que je prévois pour le sol. À la fin, je combine les deux. Je pose un vase dans la niche voûtée que je crée derrière le tub. Je choisis du carmin relevé d'ombres rousses, comme une plaie dans cette sérénité. Je médite longuement sur les fleurs à mettre dans le vase. Je me représente un assortiment de feuilles du jardin, iris jaunes et violets, dentelle des hortensias en fleur contre le mur. Rien ne semble correct et je rejette tout cela. Je préfère répéter la courbe de la voûte pour former trois tiges séparées, deux tombant à droite, une à gauche. Je modèle l'ovale d'une tulipe au bout de chaque tige, en me servant des rouges déjà mélangés pour le vase. Au dernier moment, je colore en citron pâle la fleur solitaire de gauche. Je ne sais pas pourquoi, si ce n'est que je sens le besoin de diviser ces fleurs : deux sont en étroite proximité, l'autre est isolée, dédaigneuse.

Je reviens au personnage. Je suis contente de la tête et des mains, mais la chemise blanche dont je l'ai habillée est trop douce. Je décide de l'enlever pour peindre un nu. J'envisage de demander à Mary de poser à nouveau pour moi, mais quand je commence à définir les seins et les épaules, je comprends que je peux inventer les lignes dont j'ai besoin. Sans aucun modèle vivant pour m'influencer, je construis les tons de chair à partir de l'or et de l'ocre préparés pour le sol. À mesure que le personnage se fond dans l'arrière-plan, il s'éloigne en même temps du spectateur et se sépare du cercle de la baignoire.

Je laisse la toile plusieurs semaines sur mon chevalet. Quelque chose en moi répugne à l'abandonner. Je me surprends à y revenir, à m'arrêter pour la contempler, parfois pendant une heure entière. Je suis attirée par le calme du personnage, ainsi que par la contradiction entre le potentiel enveloppant des contours du tub et le gouffre impitoyable en son centre. Je suis intriguée : le gris argenté utilisé pour les côtés invitait initialement à la contemplation, mais cette teinte a désormais un caractère glacial causé par l'or opulent du sol. Je finis par détacher la toile. Je l'emballe et je l'envoie à Roger pour qu'il la vende. Je lui écris une lettre où je lui dis que je crois avoir atteint avec ma composition un équilibre entre réalisme et abstraction. Je ne lui avoue pas combien cela me semble vrai.

– Tu n'as pas le droit d'être jaloux !

Roger s'adresse à Duncan, qui a tiré une chaise près du feu et qui contemple les flammes, l'air désespéré.

– Je suis d'accord. C'est l'attraction des sexes. Bunny et Barbara. Quoi de plus naturel, après tout ?

Clive est vautré sur le canapé, la pipe au bec. Je tricote dans le fauteuil. Je prête l'oreille à leur conversation.

– Tu prétends que l'amour entre deux hommes n'est pas aussi fort que l'amour entre un homme et une femme ?

J'entends une lourde note d'angoisse dans la voix de Duncan.

Clive attend un moment avant de répondre.

– Ce que je pense, c'est que les différences sont importantes. L'amour s'épanouit dans l'écart.

Roger se penche en avant dans son fauteuil.

– Ça, ce n'est pas de l'amour ! En tout cas, pourquoi un autre homme ne serait-il pas assez différent de soi-même ? Si la différence est vraiment l'ingrédient magique.

– Différent ou pas, je regrette le jour où je l'ai rencontré !

Duncan a maintenant un ton exaspéré. Il va chercher une bûche dans le panier et la jette dans l'âtre. La flamme bondit.

– Je me rappelle mon premier amour. J'avais dix-sept ans, peut-être dix-huit.

Nous nous apprêtons à écouter le récit de Roger. Même Duncan détourne les yeux de la cheminée.

– C'était une femme que j'avais souvent vue auparavant sans qu'il se passe rien. Puis un beau jour, en la croisant dans la rue, j'ai remarqué une expression étrange sur son visage. Une lueur presque belliqueuse brillait dans son regard. Elle avait l'air à la fois satisfaite et en quête de quelque chose, comme si elle venait de faire un délicieux repas mais était encore affamée. Après ça, je n'ai plus pu m'empêcher de penser à elle. Je me représentais sans cesse ces yeux dévorants fixés sur moi. Quand je l'ai revue, c'était trop tard, elle portait déjà le voile de mon imagination. Je ne pouvais plus la voir telle qu'elle était. J'étais éperdument amoureux, mais ce qui me rendait surtout épris, c'était cette illusion fabriquée par mon esprit, plus que ce qu'elle avait fait ou dit.

La voix de Roger s'éteint. Chacun songe à ses propres expériences amoureuses. Clive est le premier à parler.

– Il existe une sorte d'illusion. Mais je ne crois pas que l'illusion soit dénuée de vérité. Dans la personne dont on s'éprend, il doit y avoir quelque chose qui enflamme ce que tu appelles l'illusion. Une qualité que l'on sent et à laquelle on réagit, par laquelle l'être aimé mérite tous les sentiments qu'on déverse sur lui.

Duncan grogne.

– Tu rends ça trop abstrait ! Bien sûr qu'il y a les deux à la fois, notre propre nature intrinsèque et la façon dont on perçoit l'autre, la façon dont ce qu'on voit correspond à notre propre caractère, mais il y a aussi les émotions brutes, les espoirs, les frustrations, les besoins...

Clive se redresse.

– Pour ma part, je ne coucherais jamais avec quelqu'un qui n'en a visiblement pas envie.

– À ce que je comprends, l'interrompt Roger, le problème n'est pas que Bunny ne veut pas coucher avec Duncan. Le problème, c'est que Bunny veut aussi coucher avec Barbara.

– S'il n'y avait que Barbara !

La blague de Duncan tombe à plat.

Clive lève sa pipe, peu enclin à renoncer à son idée.

– Néanmoins, il doit y avoir réciprocité. Sinon, on s'expose à souffrir. Et puis ça devient dégradant, désirer, désirer sans que jamais le besoin soit assouvi. Ça vous ronge. À la fin, on ne voit même plus combien c'est humiliant.

Je ne sais plus à quel moment j'arrête d'écouter. Je ne sais même pas si je me rappelle cette conversation avec exactitude ou si c'est mon esprit torturé qui en fournit la matière. Tout ce dont je suis sûre, c'est qu'à un certain point je plie mon tricot et je me faufile sans bruit hors de la pièce. Je monte l'escalier et j'aimerais être emportée bien loin par ce mince croissant de lune que, par la fenêtre du palier, je vois suspendu dans le ciel. Dans ma chambre, je m'allonge sur mon lit. J'enfonce ma tête dans l'oreiller, je laisse la fraîcheur du coton imprégner mon front. Les images vacillent sur l'écran fermé de mes paupières. Les traits tirés de Duncan agenouillé devant le feu, ton bras glissé dans celui de Leonard lorsque tu as disparu dans l'allée, suivie par les garçons. Je recroqueville mes doigts, fermant les poings, je hisse mes jambes contre ma poitrine. Je ne sais combien de temps je passe dans cette position.

On frappe à la porte, je devine de la lumière. À contrecœur, j'ouvre les yeux. Duncan est à genoux devant mon lit, il me caresse les cheveux.

– Ness.

Sa voix est vibrante de remords.

– Je t'aime. Tu le sais.

Je n'ai pas la force de répondre. Je lui prends la main et je la porte à mes lèvres. Je sais qu'à présent, si je le lui demande, il viendra dans mon lit. Je repousse la couverture. Nous sommes très doux

131

l'un envers l'autre et, quand nous avons terminé, je reste immobile dans ses bras. Je contemple la lune par la fenêtre sans rideaux, pleine de gratitude pour cette trêve.

Je me penche par-dessus les casiers remplis de caractères d'imprimerie et je te regarde sélectionner les lettres. Tu places chacune à l'envers sur le châssis. Quand tu arrives au bout d'une ligne, tu insères une bande de plomb par-dessus, très précautionneusement, avant d'aborder la rangée suivante.

– À dire vrai, c'est plutôt reposant, dès qu'on s'y est habitué, dis-tu en me montrant la phrase achevée.

J'essaye de déchiffrer les mots tête en bas. Je m'étonne de l'agilité de tes doigts lorsque tu bascules les lettres hors du châssis pour les remettre chacune dans sa casse. Je t'envie cet air de concentration paisible.

– Bien sûr, poursuis-tu, nous avons eu un mal fou à faire fonctionner la machine. Tout ce que nous avions, c'était un manuel d'instruction et la connaissance assez rudimentaire que Leonard a de la mécanique.

Je vous imagine tous les deux déchiffrant le manuel, vous étreignant triomphalement lorsque vous avez retiré de la presse votre première page imprimée.

– Alors, quel genre de livres imprimeras-tu ? demandé-je.

Tu ris.

– Tout dépend de la vitesse avec laquelle nous maîtriserons cet art ! Pour le moment, nous envisageons l'une des nouvelles de Katherine et un petit recueil de poèmes de Tom. Peut-être quelques essais. Nous commençons avec deux récits, un de Leonard et un de moi.

Je bâille. Je quitte la table et je repars vers la fenêtre ouverte, posant mes bras sur le rebord. Tu me rappelles.

– Carrington a fait quelques gravures pour nous. Je n'avais pas remarqué à quel point elle était douée, jusqu'au jour où Lytton nous a montré certains de ses travaux. Nous avons déjà essayé de les imprimer. Veux-tu voir le résultat ?

Tu me remets une feuille où sont imprimées quatre images. Leurs lignes franches et nettes m'impressionnent.

– Comment prévois-tu d'utiliser ces gravures ? demandé-je en me rasseyant à la table.

– Nous pouvons les mettre sur la jaquette, comme frontispice, dans le courant du texte... Les possibilités sont infinies.

– Tu veux dire que tu peux les imprimer à côté des mots ?

– Oui. Ce n'est pas si difficile que ça. Une fois que j'ai ménagé l'espace nécessaire pour l'image, je n'ai qu'à composer les caractères tout autour.

Je demande la permission d'emporter avec moi cette page imprimée. Cette nuit-là, pendant que tout le monde dort, je prends l'histoire que tu m'as envoyée. Cette fois, en la lisant, je visualise le jardin que tu décris de manière si évocatrice. À présent, alors que mes yeux parcourent les lignes de ta prose, les idées se bousculent dans mon esprit. Je trouve du papier et du charbon de bois. Je dessine des fleurs, des tiges, des feuilles autour de tes mots. J'esquisse deux femmes parlant dans le jardin, le chapeau penché tandis qu'elles échangent des confidences. Je dessine vite, dans l'enthousiasme. J'ai bientôt couvert ton texte d'images. Sur certaines pages, je me contente d'une simple bordure ; sur d'autres, je conçois des illustrations plus élaborées, des images du jardin, des motifs décoratifs. Le matin, j'emballe la nouvelle et je te la renvoie. J'ajoute un mot pour dire que j'ai aimé travailler dessus. Tandis que je procède à mes tâches ménagères, je sens renaître l'espoir. Je vois le volume imprimé, ton histoire avec mes gravures bien visibles à chaque page.

Donc je vais avoir un troisième enfant. Malgré tous ses hauts et ses bas, mon amour pour Duncan produira ce fruit. J'appuie le miroir contre le lit et je me place devant. Il n'y a pas encore grand-chose à détecter. Un léger gonflement des seins, le vague froncement de la peau autour des tétons, une rondeur prononcée de mon ventre. Pour l'instant, ce bébé est un mirage, pas plus réel qu'un souhait. Je lève les yeux vers mon visage et je vois une minuscule silhouette reflétée dans mes pupilles. Je pense à toi, penchée sur ton bureau, rédigeant le premier jet de ton nouveau roman. Tu as accompli tellement plus de choses que moi. Soudain, je sens un bouleversement interne, souterrain. Je laisse ma main reposer sur mon ventre. Dans mes yeux, la silhouette brille.

Je décide d'avoir ce bébé chez moi. À mesure que Noël approche, j'élabore mes projets. La guerre est finie et, même si les pénuries continuent, je trouve le temps de travailler sur la maison. Je dévernis le plancher de ma chambre et je le peins dans un riche marron doré, couleur de miel. Je teins de nouveaux rideaux et un couvre-lit. Je décore les murs, le plafond et la porte. Je perds les eaux le 24 décembre à cinq heures. Bunny part chercher le médecin à bicyclette tandis que Duncan m'aide à monter dans ma chambre. C'est une naissance facile. Je m'accroche au manteau de la cheminée entre deux contractions. Je demande à tenir le bébé dans mes bras dès qu'il est né. Le docteur acquiesce. La sage-femme enveloppe la petite fille dans une serviette propre et me la confie. Ses doigts s'enroulent en minuscules étoiles. Je serre ma fille contre ma poitrine, puis je la pose dans les bras de son père.

En fin de journée, nous échangeons des cadeaux. Bunny regarde le bébé, pousse des exclamations ravies lorsqu'elle ouvre les yeux. Il plaisante en disant qu'il l'épousera dès qu'elle sera assez grande. Quand il se penche au-dessus du berceau pour la prendre, je suis prise de la crainte qu'il ne me la vole, elle aussi.

Je travaille à une gravure sur bois. Ma fille dort à côté de moi dans son couffin. Je la regarde toutes les cinq minutes, m'émerveillant de sa beauté. Je grave mon tableau de la baignoire. Cette fois, je place mon personnage juste devant le tub. La femme garde les yeux baissés, elle est toujours en train de tresser ses cheveux, mais à présent son corps s'incurve dans l'ample rondeur de la baignoire. Il n'y a plus que deux fleurs dans le vase de la niche voûtée. Elles penchent dans des directions opposées, mais en parfaite symétrie. Tout en travaillant, je cherche des prénoms pour ma fille : Clarissa, Rachel, Helen. Je n'en trouve aucun qui soit assez bon pour elle. C'est un ange envoyé par le Ciel, la réponse à une prière. Je prévois son avenir comme je découpe dans le bois. Ce sera une grande artiste. Elle réussira là où j'ai échoué. Je sculpte les hanches de mon personnage jusqu'à ce qu'elles soient aussi voluptueuses que les contours maternels du tub.

8

– Merci d'être venue.

Je suis Leonard dans le salon, où nous nous installons de part et d'autre de la cheminée.

– Depuis combien de temps n'est-elle pas bien ?

J'ai du mal à cacher mon agacement ; il m'aurait été bien plus facile de m'occuper d'Angelica si j'avais pu te laisser Julian et Quentin comme convenu. Leonard soupire.

– Elle a des migraines depuis quelque temps, mais c'est cette grippe récente qui l'a abattue. Je me suis senti obligé de vous demander de reprendre les garçons.

– Je vois. Sont-ils dans le jardin ?

– Oui.

Je me lève et me dirige vers la fenêtre, dans l'espoir d'apercevoir Julian et Quentin qui jouent. Sur la table, plusieurs feuilles de papier couvertes de ton écriture, entourées de plumes et de bouteilles d'encre. En me baissant pour regarder de plus près, je me rends compte que les pages sont ornées de dessins d'enfants. Je ramasse l'une d'elles.

– C'est très joli, tout ça, dis-je en examinant leurs œuvres.

– Oui, acquiesce Leonard. Virginia a eu cette idée pour occuper les garçons pendant leur séjour. Elle avait d'abord conçu le projet de monter une pièce de théâtre, mais je l'ai persuadée qu'il serait plus reposant de leur confier une tâche lui permettant de rester assise. Je sais qu'elle regrette de ne pas pouvoir terminer l'histoire avec eux.

Je contemple un personnage caricatural, une femme coiffée d'un grand chapeau pédalant furieusement sur sa bicyclette.

– Est-elle si malade que ça ?

– Le docteur Fergusson craint pour son cœur. Il veut qu'elle consulte un spécialiste, dans Wimpole Street.

Je dévisage Leonard.

– Vous pensez donc que cette fois, ce pourrait être son cœur plutôt que son vieux problème ?

– Je ne suis pas sûr qu'il soit possible de distinguer entre les deux. Quoi qu'il en soit, elle prend la chose suffisamment au sérieux pour admettre qu'elle ne doit pas garder les garçons ici.

– Puis-je la voir ?

Leonard hoche la tête et je monte jusqu'à ta chambre. Tu n'es pas alitée comme je m'y attendais, mais assise bien droite dans un fauteuil, ton écritoire sur les genoux. Tu lèves les yeux quand j'entre.

– Il me semblait bien avoir entendu une voiture.

Je m'assieds sur le lit.

– Comment va Angelica ? t'enquiers-tu en rangeant tes papiers en tas.

– Pour être tout à fait franche, je ne sais pas trop.

Je regarde le sol et je me demande comment l'infirmière se débrouille.

– Nessa...

Tu me tends la main.

– Je suis désolée. Je te fais faux bond. Tu sais combien je me faisais une joie de recevoir les garçons.

– Ah bon ?

Je ne puis éviter une nuance stridente d'accusation.

– Bien sûr. J'avais prévu toutes sortes de choses à faire avec eux. Leonard a tenu à t'appeler.

– Et tu fais tout ce que Leonard dit ?

Tu laisses ta main offerte retomber sur tes genoux.

– Je lui dois tant, Ness. Tu n'imagines pas tout ce qu'il fait pour moi.

Je détourne les yeux. Je me rappelle l'inquiétude dans la voix de Leonard durant notre conversation téléphonique, la tendresse qui se peignait sur son visage tandis que nous parlions de toi, au salon.

– Sans lui, je serais perdue. Simplement, j'aimerais parfois qu'il me laisse un peu battre des ailes.

Je pense à la liaison de Duncan avec Bunny, à ses absences prolongées.

– Et que ferais-tu si tu pouvais battre des ailes ?

– Oh, des tas de choses. J'aurais des enfants, par exemple.

– Il n'est pas trop tard.

Tu me toises avec mépris.

– Bien sûr qu'il est trop tard ! J'ai quarante ans.

– Et moi quarante-deux.

– Cela a toujours été plus facile pour toi.

Je me lève. Je suis lasse de ce vieux débat.

– Il faut que je récupère les garçons.

Je me dirige vers la porte.

– Ma chérie...

J'hésite. J'entends le ton plaintif de ta voix.

– Tu le sais, je n'ai jamais voulu vivre ainsi.

Je te contemple dans ton fauteuil, emmitouflée dans ta couverture, avec tes pages sur les genoux.

– J'adore cette histoire que tu as commencé à écrire avec les enfants.

– C'est vrai ?

Ton visage s'éclaire.

– Tu autoriseras peut-être les garçons à revenir quand j'irai mieux.

Nous sommes dans le jardin de ta nouvelle maison, face à face dans nos chaises longues. Les pommiers sont en fleurs, la brise vient semer à nos pieds des pétales roses et blancs.

– Bien sûr, dis-tu en versant le thé, ça a été une épreuve que de devoir abandonner Asheham.

Du coin de l'œil, je surveille Julian et Quentin qui aident Leonard à enlever une branche morte sur un arbre. Le bruit de la scie ponctue notre conversation.

– Cependant, poursuis-tu en me tendant une tasse, c'est un réconfort de savoir que cette maison nous appartient. Personne ne peut nous déloger d'ici.

La branche morte se détache du tronc, puis s'écroule à terre. Les garçons se ruent dessus avec des cris d'allégresse.

– Je me demandais si tu viendrais faire quelques travaux de décoration pour nous.

Je relève la tête. Je ne m'attendais pas à cette question. Je ne sais si je dois me sentir flattée ou insultée. J'ai grand besoin d'argent, c'est certain. Pour gagner du temps, je t'interroge sur ton travail.

– Crois-tu que tu te sentiras bien ici pour écrire ?

– Je l'espère. À vrai dire, je viens de commencer un roman. Leonard l'appelle mon histoire de fantômes.

Je change de position. Je regarde Leonard et Julian qui traînent la branche morte jusqu'à l'abri à bois, laissant dans leur sillage une fragile mosaïque de fleurs. Les pétales s'infiltreront bientôt dans l'herbe emmêlée et pourriront dans la terre humide.

– Et qui est le fantôme ?

Ta voix est si faible que je ne t'entends pas tout de suite.

– Thoby.

Je sursaute.

– Tu écris un roman sur Thoby ?

– Oui. Je ne l'avais pas prévu. Je suis partie de l'idée qu'on ne peut jamais entrer dans la vie d'un autre, jamais y entrer tout à fait, et la vie sur laquelle j'en suis venue à me concentrer est celle de Thoby.

Je réfléchis à ta réponse. Je me rappelle les lettres que tu as écrites à Violet après la mort de Thoby, où tu entretenais l'illusion qu'il était encore en vie. Tu hésites.

– Je croyais que ça te ferait plaisir.

Je place une toile sur mon chevalet. Je prends mon pinceau. Je peins mal, d'une main vacillante. Je m'oblige à appliquer les coups de pinceau les uns après les autres pour construire mes formes. Je peins parce que je ne sais pas quoi faire d'autre. Je suis certaine que le résultat sera un échec. Je trace le chambranle et la porte ouverte. Dans la pièce, j'ajoute une chaise et un guéridon et, dehors, un fauteuil, devant les arbustes. Quant à la porte proprement dite, je la laisse dans l'ombre. Elle n'a aucun intérêt, elle est trop petite pour remplir l'espace. Je reviens à mes sièges. Je peins un coussin bleu ourlé de rouge sur le fauteuil du jardin. Ces couleurs vives en soulignent le vide. C'est un siège absurde, coincé entre la porte ouverte et le jardin. Il est tourné vers l'intérieur et non vers l'extérieur. Je donne plus d'élégance au siège placé dans la maison. Dossier arrondi, pieds sculptés. Je n'arrive pas à choisir la teinte. J'essaye du gris, du brun, du bleu. Aucune nuance ne va, mais peu m'importe. Je décide de laisser la couleur en suspens. J'ajoute un carré plus sombre sur le siège. Cette fois, c'est un carnet et non un coussin, les pages clairement visibles entre les couvertures. Sur les côtés du tableau, je peins deux rideaux noirs encadrant les chaises. Je veux insister sur leur inutilité, attirer l'attention sur leur conflit.

J'ouvre le paquet, surprise d'y lire mon adresse de la main de Leonard. J'en extirpe une liasse de feuilles que j'étale sur la table.

Je vois aussitôt que Leonard a modifié la présentation de mes gravures. Il n'a tenu aucun compte de toutes les instructions que je m'étais donné le mal de noter. Je tremble de rage. Je refuse que mes illustrations soient gâchées par le mauvais goût de Leonard ! Je ne peux pas croire que tu lui aies permis de fouler aux pieds mes dessins. Je t'écris pour t'expliquer ce que je pense de ton arrogance et de ton amateurisme. Je t'annonce que je ne veux plus jamais travailler avec toi ou avec Leonard.

Comme il fait trop froid pour peindre dehors, nous avons monté nos chevalets à l'étage afin d'avoir vue sur l'étang. Les branches nues des saules projettent d'étranges reflets sur la surface vitreuse, comme des cheveux de sorcière. Je choisis pour sujet un coin du jardin, deux arbres, un pan de mur, les champs et le ciel au-delà. Duncan a placé son chevalet un peu en avant du mien. Tout en travaillant, je vois la courbe de sa tête et de ses épaules, le mouvement de sa main. J'ai du mal à transcrire les modulations de la lumière. Je peins de l'écarlate dans l'écorce des arbres, un ruban de corail dans le grain du mur. La lumière change encore. J'ajoute de l'argent et du bleu dans le ciel. Duncan s'arrête de peindre et s'assied sur le lit.

– Il va se marier. Je le sais.

Je comprends qu'il parle de Bunny.

– Oui, j'imagine qu'il va se marier.

– Mallory s'est marié. Adrian s'est marié. Même Maynard envisage de se marier. Ils succomberont tous.

– Sauf toi ?

C'est la question que j'ose à peine poser.

– Sauf moi.

Je lève la tête et je vois le doute sur le visage de Duncan.

– Nessa. Si seulement je pouvais.

Ma main tremble. Je sens que Duncan m'observe, qu'il jauge ma réaction. Je regarde les arbres que j'ai peints, le mur, le ciel. Si je contemple ces formes assez longtemps, je trouverai peut-être une raison de continuer.

– Ness.

Il souhaite mon absolution, il veut m'entendre dire que cela ne fait aucune différence. Par la fenêtre, je remarque un groupe de jeunes branches nichées à l'abri du mur. Je reviens à ma toile.

– Terminons nos tableaux.

Au salon, à Charleston, nous venons d'écouter l'exposé de Maynard sur le règlement de la paix, qui se prolonge par une discussion sur ce thème : est-il sage de sacrifier sa vie pour la cause générale ? Roger, qui vient de faire redémarrer le feu, est accroupi sur ses talons.

– Crois-tu vraiment que les gens qui s'engagent se posent la question ? Je pense aux hommes que j'ai connus. Ils parlent des combats, des épreuves qu'ils ont traversées, mais pas de la mort. Pas ouvertement, en tout cas.

Maynard se penche en avant.

– L'idée doit pourtant être là. Surtout à mesure que le temps passe et que le nombre des morts augmente.

Roger ne répond pas. Il plie soigneusement en accordéon des feuilles de journal et les insère entre les bûches.

– Je pense que je serais prêt à sacrifier ma vie si j'étais sûr que le monde en deviendrait meilleur.

La voix de Duncan semble flotter depuis son perchoir, près de la fenêtre.

– Ah ! Telle est la question ! Qui pourrait te promettre ça ? Et puis, il faut se demander combien de temps cet avantage durerait : aussi longtemps que tu aurais vécu, auquel cas je suppose que le bilan s'équilibrerait et que l'effort aurait été justifié, ou bien s'effacerait-il au bout de quelques années à peine ?

Il n'y a pas à se méprendre sur le cynisme de Maynard.

– Eh bien, pour ma part, je ne me suis jamais laissé convaincre que ma vie vaudrait ce sacrifice ! Je me battrais avec Picasso pour obtenir la dernière place à bord du canot de sauvetage, et je n'hésiterais certainement pas si l'enjeu se limitait à un bout de terrain ! L'agitation de Clive nous fait tous rire. Roger place une allumette contre son édifice de papier et de bois, puis me regarde.

– Qu'en dit la Femme ? N'avons-nous fait que révéler ici les limites inhérentes à notre sexe ?

Je regarde le feu qui prend, les langues de flamme qui engloutissent goulûment le papier.

– Je pense que je pourrais être prête à mourir. Par exemple, pour un artiste en qui je crois.

Je sens les yeux de Roger qui s'enfoncent en moi. Je sais ce qu'il pense. Sans un mot, il me supplie de renoncer à Duncan.

La défection de Bunny ne change rien, si ce n'est qu'à présent Duncan a ses aventures hors de la maison. Ma vie en son absence est entièrement liée au courrier. Chaque matin, l'espoir renaît quand je vois le facteur apporter son sac. Je cours dans le vestibule, j'étudie la pile d'enveloppes, je prie pour qu'il y en ait une de la main de Duncan. J'ouvre la lettre et je la lis très vite en diagonale pour voir si le message général est bon ou mauvais. Puis je la lis plus lentement, je m'attarde sur chaque ligne jusqu'au moment où je les connais par cœur. Je garde les lettres avec moi quand je travaille au jardin, quand je peins, j'essaye de détecter les signaux cachés. Les mots tournent et se tordent dans mon esprit, tant et si bien que je ne sais plus à la fin si « J'espère que tu es heureuse » signifie « Je suis éperdument amoureux et je n'ai pas besoin de toi » ou « Tu me manques et je reviendrai bientôt ». Répondre est une joie et une épreuve. Je m'assieds, je prends mon papier et ma plume. J'aplatis le papier, ce geste m'apaise. Je n'écris jamais tant que je ne suis pas parfaitement calme. C'est seulement alors que je me sens capable de mettre noir sur blanc des mots qui n'effraient ni ne supplient. Je m'efforce d'avoir le style le plus neutre possible. Je parle de la maison, d'Angelica, de nos amis communs, de tout ce que nous partageons. Je n'ose pas exprimer les pensées qui roulent dans ma tête, avouer ma solitude et mon désir. Je préfère parler des roses, d'une nouvelle fresque dans le couloir. J'offre les tentations du foyer, toutes les séductions que je puis imaginer pour persuader Duncan de rentrer.

Un jour, je reçois une lettre de mauvais présage. Un médecin a diagnostiqué la typhoïde. À peine ai-je fini de lire que je cours à travers toute la maison pour jeter des habits et des affaires de toilette dans des sacs. J'attrape la main d'Angelica et je file à la gare, avec une seule idée en tête : je dois rejoindre Duncan aussi vite que possible. Des images de Thoby se bousculent dans mon esprit. Quand nous nous installons dans le train, je vois le reflet du cercueil de Thoby dans les vitres sales. Angelica se blottit contre sa nounou, terrorisée par la mère que je suis devenue. Nous traversons la Manche, nous gagnons Paris, et même là je n'ose pas m'arrêter. Je nous oblige à continuer, épuisées et hagardes, paniquée à l'idée d'arriver trop tard.

À la gare, nous prenons un taxi. Tandis que nous roulons sur des routes étroites, ma seule préoccupation est d'être au chevet de Duncan. Nous nous garons devant la maison, je sors du taxi et je sonne à la porte. Une bonne nous introduit dans un salon. Par la fenêtre ouverte, j'admire des haies de buis taillées avec soin. Une femme élégante finit par apparaître. Je devine aussitôt que c'est la mère de Duncan. Elle me serre la main, me remercie pour mon inquiétude. Elle m'assure que Duncan est en pleine guérison. Je vois qu'elle remarque nos vêtements dépenaillés, le chaos de nos bagages. Elle aperçoit Angelica et ses lèvres se serrent. Quand je demande à voir Duncan, elle secoue la tête, sûre de ses privilèges. Elle me demande à quel hôtel nous sommes descendues et son sourire baisse à peine quand je lui dis que nous venons tout juste d'arriver. Elle nous dit au revoir, prétextant notre fatigue, et ajoute par-dessus son épaule que nous devrons repasser quand Duncan ira mieux. Elle laisse la bonne nous raccompagner à la porte. Notre taxi est parti depuis longtemps et nous n'avons pas d'autre solution que de rentrer en ville à pied.

Je n'ai aucun statut. Je ne suis ni épouse ni maîtresse, ni amie ni membre de la famille. Dans la chambre d'hôtel, je contemple la mer. Si je me penche assez loin à la fenêtre, j'aperçois la maison où Duncan est en convalescence. Lorsqu'on m'autorise enfin à le voir, je comprends que sa mère n'est pas la seule contre moi. En venant jusqu'ici, je l'ai rendu ridicule. C'est à peine s'il m'adresse la parole.

Je loue une villa. Je n'ai pas les moyens de continuer à me payer l'hôtel et je me sens obligée de rester. Duncan vient voir Angelica, nous peignons ensemble dans le jardin, savourant les couleurs franches de la Méditerranée, ces vastes plans de lumière scintillante. Peu à peu, il perd de sa colère contre moi. Lorsque sa mère repart pour l'Angleterre, il s'établit chez moi.

Tu viens nous voir, avec Leonard. Nous descendons jusqu'au port et nous apprécions ce couloir de fraîcheur entre les étroites rangées de maisons. Bras dessus bras dessous, nous arrivons sur le quai et nous regardons les pêcheurs débarquer le poisson. Tu me dis combien tu envies la camaraderie dans laquelle Duncan et moi nous peignons, comparée à ta solitude d'écrivain. Nous sommes comme frère et sœur, dis-tu, aimants mais inexorablement chastes. Avec la sûreté de l'éclair, tu déchires mon ciel en deux. Je fixe un groupe de jeunes femmes coquettes qui bavardent et rient en attendant leurs hommes au bout du quai. Tes paroles me laissent aussi nue et ratatinée que l'étoile de mer qu'on a suspendue pour qu'elle sèche et qu'on vendra quelques centimes à un passant.

J'ai un rêve récurrent. Je suis assise à une fenêtre surplombant un jardin. Je porte le châle vert de Maman et un petit garçon est à côté de moi. Il découpe des formes dans un magazine, il fronce les sourcils, concentré sur sa tâche. Dans le jardin, tu es allongée dans un transatlantique, ton carnet ouvert sur tes genoux. Je vois ta main avancer implacablement à travers la page. Soudain, je prends conscience d'une présence sur le pas de la porte. Je lève la tête et j'aperçois une silhouette masculine, mais l'éclat de la lumière m'empêche de discerner les traits du visage. Je soupçonne que c'est Duncan, mais je ne puis en être sûre. Il s'approche et pose la main sur mon épaule. Je sens que l'enfant s'agite à côté de moi, nerveux et jaloux. Je sens qu'on a besoin de moi, j'ai envie de rester tranquillement à la fenêtre, mon enfant auprès de moi. Je prends mon courage à deux mains et je me tourne vers l'homme. À ma grande surprise, il a disparu. Je regarde vers la porte, mais je n'en vois que les montants et la lumière. Je regarde vers le jardin. Ta chaise est inoccupée. Le seul indice de ton passage est le carnet que tu as retourné dans l'herbe. Quant à l'enfant, lui aussi s'est évaporé, laissant à terre une piste de découpes de papier. J'ouvre de grands yeux sur tout ce vide.

Je relis le premier paragraphe de la lettre de Duncan. Je sens un nouvel élancement de douleur chaque fois que je rencontre ce nouveau nom. Je regarde les marguerites qui se sont semées d'elles-mêmes dans la pelouse. Une peur subite me torture. Et si cette fois la liaison durait, et si Duncan ne revenait pas ? Je m'oblige à me lever et je pars vers le portail. Je marche jusqu'à ce que la nuit m'entoure.

Quand je rentre, Julian est endormi sur une chaise, la tête sur la main. Je sens un élan de tendresse alors que je me penche pour lui embrasser la joue. Il ouvre les yeux et me dévisage avec tant de haine que j'en suis déconcertée. Je me baisse pour l'embrasser à nouveau, mais il me repousse. Il bondit de sa chaise et s'enfuit en courant. Je le suis dans sa chambre, mais il refuse de me parler. C'est seulement le lendemain que je comprends : j'ai oublié son anniversaire.

Le rêve est différent. Je suis couchée sur le ventre, je suis du bout des doigts le motif du tapis. Je retrace les torsades compliquées des tiges et des feuilles, les grandes boucles des fleurs. Au-dessus de moi, le toit familier que constitue la table de la nursery. Si je tourne la tête, j'aperçois les jambes enjuponnées des bonnes. Leur bavardage lorsqu'elles trient le linge est pour mes jeux un accompagnement apaisant. J'ai une sensation de chaleur contre mon flanc et, si je tourne la tête de l'autre côté, je vois Thoby. Son corps est si proche du mien qu'il s'en distingue à peine. Je sens que je dois rester immobile et silencieuse, sinon cette chaleur s'en ira. Tandis que je me fais cette réflexion, quelque chose bouge. Je perds ma place dans le labyrinthe des feuilles et des fleurs. Je comprends que Thoby est parti. L'espace où se trouvait son corps est vide et froid. J'ai beau crier, personne ne m'entend. Les bonnes semblent indifférentes à ce qui s'est passé. Je baisse les yeux, mais les formes et les couleurs ont toutes disparu. Il ne reste rien. Je décide de remplir le vide en créant mes propres motifs. Je me donne beaucoup de mal, mais je ne pourrai pas remplacer ce que j'ai perdu.

C'est dimanche, je suis seule ; j'ai envoyé les enfants dormir chez Clive. Pour une fois, je n'ai pas de visiteurs. Je suis dans ce salon de Charleston où j'attends depuis le petit matin, en me demandant pourquoi Duncan ne vient pas. Depuis qu'est arrivée la lettre annonçant son retour, je ne pense pas à grand-chose d'autre. J'ai nettoyé et décoré chaque pièce, j'ai essayé d'anticiper ses besoins. Maintenant que sa liaison est terminée, je peux avouer qu'il a dû être douloureux d'y mettre fin. Je me répète qu'il va lui falloir de l'espace pour surmonter le choc. Je décide de ne rien lui imposer, de ne rien demander pour moi-même. L'avoir de nouveau avec moi sera une récompense suffisante.

J'observe la lumière qui se répand à terre à travers les rideaux. Pour la millième fois, j'essaye de ne pas me demander pourquoi Duncan n'est pas revenu à l'heure indiquée dans sa lettre. Je connais cette phrase par cœur. *Je serai avec toi pour le dîner.* Le couvert est encore mis dans la salle à manger, le canard se fige dans son plat sur la desserte. Je m'étais mise à table et j'avais regardé les bougies se consumer entièrement, je me levais brusquement chaque fois que des gouttes de pluie fouettaient le gravier, chaque fois qu'une rafale de vent soufflait dans les arbres. Finalement, quand l'aurore est venue, je me suis déplacée vers cette pièce.

L'après-midi est bien avancé lorsque j'entends la voix de Duncan. Je m'oblige à ravaler l'afflux d'émotions qui inonde aussitôt tous mes nerfs. Les soucis que j'ai disposés sur la table vibrent de lumière. Je ne peux réprimer un sursaut d'espoir : cette fois, il ne repartira peut-être plus.

Duncan apparaît sur le pas de la porte. Son attitude a quelque chose qui me pétrifie. Il passe à côté de moi et se contente de me donner une petite tape sur l'épaule avant de s'avachir dans un fauteuil. Toutes ces semaines d'attente, toute ma solitude accumulée, tout cela remonte en moi.

– Je pensais te voir arriver hier soir.

Duncan grogne et s'enfonce un peu plus dans son fauteuil.

– J'étais inquiète. Je ne savais pas ce qui s'était passé.

Je m'impose d'attendre la réponse de Duncan.

– Nessa. Je suis ici, maintenant.

Ma colère bouillonne et déborde, je ne peux la garder en moi.

– Tu imagines peut-être que ma vie se réduit à ça ? À t'attendre ?

Duncan étrécit les yeux. Je le vois contempler l'ange peint sur la caisse à bois. Nous y avons travaillé ensemble, nous nous disputions en riant quant à la position des ailes. Pendant un instant terrible, je comprends que Duncan pourrait s'en aller pour de bon. Aussitôt je suis sur mes gardes. Je reprends mes sentiments en main.

– Je suis désolée. Tu dois être fatigué après ton voyage. Je vais préparer du thé.

L'air contrarié de Duncan m'accompagne dans la cuisine.

Il fait noir, à l'exception des rayons de lune qui s'insinuent par la fente des rideaux. Je suis allongée, la joue sur l'oreiller, et j'écoute. Mon corps est tendu par le désir. Je ferme les yeux et je crois l'entendre monter l'escalier. Je suis sûre qu'elle va venir. Je pense à la fraîcheur de ses bras lorsqu'elle se baisse pour m'embrasser, au contact de ses doigts gantés lorsqu'elle remet quelques mèches rebelles derrière mes oreilles. J'ouvre les yeux et je vois la lumière pâle trembler dans le courant d'air. Je tends l'oreille pour distinguer ses pas, mais je n'entends que le rythme de ta respiration de l'autre côté de la chambre. Malgré tout, je suis sûre qu'elle va venir. J'essaye de me rappeler quelle robe porte Maman. Je me représente le velours bleu, les plis de la jupe tombant autour d'elle comme la mer. Je pense à tous les invités auxquels elle doit souhaiter bonne nuit, à l'affairement dans le vestibule pour retrouver les chapeaux, les manteaux, les parapluies. J'imagine les sabots des chevaux glissant sur les pavés mouillés, la chaleur des fiacres qui berce, qui invite à la torpeur, au sommeil.

Mes yeux s'ouvrent brusquement. Je me redresse et je soulève le bas des rideaux. Le ciel est traversé de traînées grises. Je vois les branches des arbres, la pluie ruisselle de leurs feuilles. Ma déception se déverse à torrents le long de la vitre.

Le phonographe fait parader et cavalcader sa musique à travers la pièce. Plusieurs couples dansent déjà. Je suis frappée par le luxe de ta nouvelle résidence londonienne. Les fauteuils ont été recouverts d'un tissu jaune vif à carreaux, il y a des bibelots en verre bleu sur la cheminée, de nouvelles lampes. Tu parles à une femme que je ne reconnais pas. J'examine les cheveux bruns coupés court, à la garçonne, dégageant son front, les yeux profondément enfoncés dans leurs orbites, la bouche lascive. Je me rappelle ta dernière lettre où tu disais avoir rencontré une fille de la famille Sackville, la romancière Vita Sackville-West. Splendide, voilà comment tu la décrivais : aristocratique, arrogante, et habillée comme une perruche. Tu ne supportais pas ses bavardages mondains, et tu pensais ne pas la revoir. La musique s'ébat et gambade. Je te vois te saisir de Vita et, d'un air à la fois joueur et impérieux, l'entraîner au milieu de la piste. Tous les yeux sont fixés sur vous. Vita porte un extraordinaire pantalon de soie orange, elle a deux plumes noires dans les cheveux. Tu plonges, tu sautes, tu glisses, suivant les figures de cette danse nouvelle. Tout en faisant pivoter Vita, tu lances les bras au-dessus de ta tête, libre, déchaînée. La musique ralentit et tu laisses ta joue reposer sur la poitrine de Vita, tes hanches tournoient tandis que tu vas et viens au rythme de votre pas de deux. Tout le monde applaudit quand cette danse prend fin. Tu contemples ton public et tu fais une profonde révérence, le visage rouge, en extase. Tu conduis Vita vers le côté de la pièce où les rafraîchissements sont disposés sur une table. Tu lui murmures quelque chose à l'oreille tout en lui donnant un verre et vous éclatez toutes les deux d'un rire tonitruant. Je cherche Duncan. Il parle avec Tom, devant la fenêtre. Je me demande à quelle heure je pourrai décemment prendre congé.

Tu viens vers moi. Tu trouves une chaise libre et tu la places à côté de la mienne, les yeux encore brillants du triomphe de ta danse. Le phonographe envoie un nouvel air. À contrecœur, Maynard se lève pour obéir à Lydia.

– Alors, commences-tu, que penses-tu d'elle ?

Je regarde Vita. Elle fume une cigarette et en tire une longue bouffée tout en parcourant des yeux la compagnie assemblée. Je sens que ses yeux se posent sur moi.

– Elle me toise comme un pur-sang arabe pourrait toiser un âne aux longues oreilles.

Tu ris, ravie de mon esprit.

– Elle ne manque pas de pedigree, c'est certain. T'ai-je raconté que ses ancêtres remontent à la conquête de l'Angleterre par les Normands ?

Je ne dis rien. Un jeune homme s'est approché de Vita et je la regarde lier conversation.

– J'envisage de l'imiter et de me faire couper les cheveux.

Je sursaute, étonnée. Tu me fais un clin d'œil.

– Pourquoi pas ? Il est temps d'évoluer. Et puis, imagine, pouvoir se passer d'épingles !

Je repousse une boucle de mes cheveux et je te dévisage. Mon regard se fixe sur ton satin noir et tes dentelles.

– C'est pour ça que tu portes la robe de Maman ?

Tu ignores cette pique et tu te penches vers moi.

– Honnêtement, tu ne trouves pas que c'est une femme magnifique ?

– Puisque tu fais tout pour exciter ma jalousie, je refuse de répondre.

– Je ne fais rien de tel !

Ta voix baisse d'un ton.

– Nous lui avons demandé d'écrire un livre pour nos éditions.

Je discerne une lueur de malice dans tes yeux.

– Ça devrait très bien marcher. Elle est très sollicitée, comme auteur. Je ne serais pas étonnée si elle remportait un prix.

Je bouge sur ma chaise, mal à l'aise. J'aimerais que Duncan vienne me chercher.

– En fait, je réfléchis à un livre sur elle. Après tout, tu te plains toujours quand j'écris sur toi.

Tu me lances un regard espiègle.

– J'ai envie d'essayer quelque chose de différent. Quelque chose de léger, de ludique. Une parodie de drame historique, par exemple. Nous avons bien besoin de formes nouvelles pour tous les vieux sentiments, tu ne crois pas ? Que dirais-tu de Vita en courtisan de l'époque élisabéthaine ? Je la vois virile et moustachue, mais là encore, elle ferait une princesse étrangère admirablement exotique.

Il y a un tableau que j'aimerais peindre. Je le vois parfois dans mon esprit, quand je reste éveillée la nuit, incapable de dormir, ou au petit matin quand la lumière fait le tour des murs, avant que le reste de la maison ne s'agite. Parfois il me dévisage quand je regarde dans le feu, ou bien j'en aperçois des fragments dans les arbres quand je me promène dans le jardin. Sur ce tableau, nous sommes tous assis autour d'une table. À côté de moi, un enfant dans une chaise haute, Thoby, peut-être. À côté de toi, un personnage que je crois toujours être Papa. Maman préside. Bien qu'elle nous tourne le dos, son profil est clairement visible. La raison pour laquelle je n'essaye pas de peindre ce portrait, c'est qu'il bouge constamment. Il contient toujours les mêmes éléments – toi, moi, l'enfant dans la chaise haute, les deux adultes –, mais ils se redisposent constamment. Parfois les modifications sont si grandes qu'un des personnages disparaît complètement. Cela se produit surtout avec Maman, peut-être à cause de son éminence au sein de la situation. Chaque fois qu'elle est absente, je prends sa place. C'est comme si une mystérieuse force était à l'œuvre, et chaque fois que la forme signifiant Maman s'évanouit, ma propre forme change pour remplir l'espace. Je ne peux rien pour éviter ce mouvement. Je sais dans une partie obscure de moi-même que si j'essaye de m'y opposer, l'espace engloutira tout le tableau. Je comprends que ma fonction dans cette peinture est d'empêcher que cela se produise. Je suis à la fois dans l'image, une marque sur la toile et, en dehors, l'artiste. Dans ce tableau, tu es tantôt une alliée, tantôt un enfant qui a besoin de protection ; ta proximité est parfois une menace. Dès que ton opposition devient trop forte, je n'ai pas le choix, je dois déployer toutes les armes à ma disposition pour te contraindre à battre en retraite. Je ne peux pourtant courir le risque de te perdre tout à fait. Alors que d'autres parties du tableau émergent ou s'éloignent sans causer de catastrophe, tu es indispensable à son équilibre.

Je ne parle à personne de ce cauchemar qui me hante. Je fais de mon mieux pour le tenir à distance. Je le décore de personnages et de fleurs, de paysages et de motifs abstraits. De temps à autre, quand je contemple les images, je soupçonne que le vide pourrait ne pas être si terrifiant et je suis tentée de l'examiner de plus près. Pourtant, quelque chose me retient. Je crains que cette impression ne soit une illusion, une chimère conçue pour me pousser vers l'oubli, à laquelle je dois résister à tout prix.

Une fois, une fois seulement, j'essaye de peindre Maman tournée vers le spectateur. Je réunis toutes les photographies que j'ai d'elle et je les aligne. Celle que je préfère est celle où elle porte un bonnet de dentelle. C'est encore une jeune femme, sur cette image, mais il y a dans ses yeux une expression de souffrance qui révèle toute l'ampleur de son expérience. En contemplant ce cliché, je comprends qu'à l'époque où la photo a été prise, elle avait déjà perdu son premier mari, un homme qu'elle aimait. C'est ce qu'on voit sur son visage, cette connaissance profonde de la perte. Ses traits sont exquis. J'étudie les pommettes saillantes, le nez finement ciselé. Sa peau est si lisse qu'on dirait de l'albâtre. Une frise de feuilles l'entoure, de sorte qu'elle a l'air de sortir du bois. Ce pourrait être l'héroïne d'un mythe. Ma peinture me fait signe. Je ne peux pas travailler quand Maman me regarde. Je range ses photographies.

Je commence, puis je m'arrête, puis j'efface ce que j'ai fait. Je crée un arrière-plan de verdure, le chemin et la serre du jardin, une table avec un vase de fleurs. Les roses et les lilas de mes pivoines et de mes digitales se querellent avec mes pavots écarlates. Pendant tout ce temps, l'espace central reste en suspens. Chaque fois que j'essaye de peindre le visage de Maman ou les contours de son corps assis dans son fauteuil, les formes avortent, la structure s'écroule. Comme si je n'osais pas modifier le dessin. Toi, tu en serais capable. Tu as réussi là où j'ai échoué. Tu n'as pas été mêlée à tout cela comme je l'ai été. Le portrait de Maman que tu as dessiné dans ton roman était si convaincant qu'en lisant j'entendais sa voix, je voyais la perpendicularité de son dos. Je regarde mon tableau. Le vide persiste. Je peins un personnage au hasard, en hâte, à l'aveuglette, pour remplir l'espace, puis je décroche la toile.

Je comprends seulement des années plus tard, en revoyant cette peinture, que le personnage est ma fille.

À ce moment de l'année, les arbres ont l'air d'éventails brisés, leurs branches nues partent dans tous les sens. Nous sommes sur la terrasse à Cassis, où j'ai gardé la villa que je louais pour l'été. Il fait doux, bien qu'on soit en fin de saison. Tu lis, un stylo à la main. De temps en temps, tu t'interromps pour noter une idée dans ton carnet. Tu parais absorbée, bien assurée, comme si tu traitais ton auteur – c'est Proust, je crois – d'égal à égal. J'ouvre le journal et je le feuillette en m'arrêtant aux images. Comparée à toi, je ne suis capable que de papillonnage intellectuel.

– Que penses-tu de cette histoire d'Adrian ? finis-je par demander.

Tu lèves les yeux.

– Que veux-tu dire ?

– Cette psychanalyse dans laquelle il s'est embarqué.

Tu renverses ton livre sur ton genou.

– C'est ridicule ! Comme tout le reste de ce qu'Adrian entreprend. L'as-tu vu dernièrement ? Il a acquis cette habitude irritante de hocher la tête à tout ce qu'on lui dit, comme s'il voyait un message caché derrière. Je trouve cela exaspérant.

– Crois-tu que cela l'aidera ?

Tu ricanes.

– Seulement parce que ça lui fournit un bouc émissaire ! Tu devines bien que tout est notre faute. Quand nous étions enfants, nous ne prêtions pas attention à lui, ce qui l'a conduit à refouler ses sentiments.

– C'est absurde !

Je me rappelle Adrian enfant et je soupire.

– Je suppose que nous aurions pu faire davantage pour lui.

Tu me fusilles du regard.

– Ne commence pas. Avec Lytton, j'en ai plus que ma dose, des désirs contrariés. Pourquoi tout le monde se met tout à coup à parler de Freud ? Je n'ai même pas envie d'envisager comment ses théories s'appliquent à Adrian.

Je glousse.

– C'est peut-être parce qu'au petit-déjeuner, tu lui lançais tes œufs à la tête.

– Bien sûr ! Tout ce jaune dégoulinant et ce blanc maculé ! Son psychanalyste a dû s'en donner à cœur joie.

Nous explosons de rire toutes les deux. Tu formules encore quelques remarques caustiques sur Adrian, puis tu te replonges dans ton livre. Je trouve un crayon et j'esquisse un pot de géraniums tardifs sur la terrasse. Ce dessin n'est pas une réussite. J'ai mal calculé l'angle, je n'arrive pas à refléter le jeu de la lumière. À mon grand soulagement, Élise apporte le courrier. Je trie les enveloppes et m'empare de celle qui porte le cachet de Cambridge.

– C'est de Julian, annoncé-je d'une voix forte, ostentatoire, en déchirant le papier.

J'avale tout rond le récit d'un dîner, le portrait d'un nouvel enseignant, une expédition en bateau sur la Cam. Ses mots me redonnent vie. Ta lecture de Proust, tes livres, tout est diminué et retrouve des proportions normales.

– Il se débrouille très bien. Son tuteur lui a fait des compliments sur ses dissertations. On lui prédit d'excellents résultats à l'examen.

Je jacasse sans penser. Tu regardes la lettre ouverte sur mes genoux.

– Passe-la-moi.

Dès que je te la tends, je sais que c'est une erreur. La lettre t'a prise au dépourvu. Tu as toujours été jalouse de Julian. Je te regarde lire et mon cœur se serre.

– Il mentionne l'exemplaire d'*Orlando* que je lui ai envoyé.

Tu parles sur un ton léger, désinvolte.

– Je regrette qu'il ne précise pas si ça lui a plu. T'ai-je dit que, selon Leonard, nous avons déjà gagné deux mille livres sterling grâce aux ventes ?

Le coup atteint sa cible. Je sens ta flèche déchirer mes muscles et mes tendons. Tu sais parfaitement que ma peinture ne me rapporte presque rien, que j'ai à peine de quoi me payer des modèles. Tu termines la lettre de Julian et tu me la rends. Je la cache dans ma poche.

9

L'encadrement d'une fenêtre, la peinture bleue s'écaillant sous le soleil méditerranéen. Je suis arrêtée, éblouie par la couleur, le rouge cascadant d'un pot d'hibiscus, la chaux aveuglante d'un mur. Comme si les couleurs, séparément d'abord, collectivement ensuite, jouaient une série de notes qui font résonner une corde en moi. Je suis contrainte de la peindre. Je suis forcée de refléter l'impact du rouge contre le bleu, du blanc contre le rouge. Cette compulsion est peut-être un défaut. Quand je peins, je ne pense qu'à ce qui est devant moi.

Tourne, tourne encore. Je regarde dans le kaléidoscope de la mémoire et je vois les motifs bouger et retomber, d'abord en étoile, puis en rectangle quand les pointes s'élargissent et se touchent. La vérité a bien des facettes, bien des formes changeantes. J'étais angoissée de voir mon œuvre de plus en plus marginalisée par rapport à la tienne, mais je jouissais aussi de mon obscurité.

Tu aplatis la petite feuille de papier sur la table et tu prends dans la boîte une bonne pincée de tabac. Tu arranges les fibres en colonne, puis tu roules l'un des côtés du papier vers l'intérieur, pour maintenir le tabac en place. Tu lèches l'autre bord, tu le rabats vers le milieu et tu appuies pour le coller. Enfin, tu portes la cigarette à ta bouche et tu l'allumes à l'une des bougies. Tu reprends ta place assise et tu tires une longue bouffée.

Quentin, avec qui tu as une discussion sur la grève générale, ironise.

– Alors c'est ça, ta réponse ? T'abandonner au plaisir sur une terrasse à mille cinq cents kilomètres des houillères !

Il brandit le pichet de vin rouge. Son ton est taquin, blagueur. Tu pousses vers lui ton verre vide en souriant.

– Bien sûr que nous savions tous comment cela allait finir. L'intersyndicale a vendu les mineurs, puis s'est fait rouler à son tour.

Leonard grogne.

– L'histoire habituelle de l'humanité. Le camp qui a le droit de son côté devient un capital politique pour les préjugés et les aspirations de tous les autres, et il se fait écraser en cours de route.

Il y a un silence lorsque le sérieux de Leonard introduit une note malvenue dans une soirée par ailleurs joyeuse. Tu ricanes.

– Te rappelles-tu Baldwin ? Son absurde discours à la radio. Il mugissait comme un orateur de place publique. En l'écoutant avec Pinker sur mes genoux, je ne pouvais m'empêcher de le trouver grandiloquent. Je me répétais : c'est le Premier ministre, alors pourquoi n'ai-je pas davantage de respect pour lui ?

Souriant désormais, Leonard te tend la main. Tu l'embrasses.

– Comme nous nous sommes disputés à ce sujet ! Tu n'étais que déception et action, tandis que moi...

– Tu conservais tout pour l'utiliser dans une nouvelle !

– À quoi bon être pessimiste ? Surtout dans un endroit comme celui-ci, lances-tu à Quentin avec un clin d'œil.

Tu désignes la baie, ta cigarette n'est qu'un minuscule point lumineux face à l'obscurité. Je contemple le panorama. Le coteau est drapé de ténèbres, le ciel est piqué d'étoiles. Dans le lointain, perceptible uniquement à l'oreille, la présence ruminante de la mer. L'air est chaud pour cette période de l'année, lourd du parfum du thym sauvage. Je regarde la compagnie assemblée. Nous avons mangé, ri, raconté les plus folles histoires. Demain, je peindrai pendant qu'Angelica prendra sa leçon de français, puis Duncan nous emmènera à la plage. Je me sens satisfaite, entourée par les bonnes choses de la vie. Tu prends conscience de mon humeur.

– C'est parfait, n'est-ce pas ? Si nous étions en Angleterre, nous serions encore recroquevillés chacun chez soi, devant un feu solitaire. Nous ne passerions pas la soirée tous ensemble sous l'étendue rêveuse du ciel nocturne.

Tu te tournes vers Leonard.

– Confesserons-nous notre péché ?

Ton regard fait le tour de la table, pour t'assurer que tous les yeux sont fixés sur toi.

– Aujourd'hui, commences-tu d'un ton très solennel, Leonard et moi sommes allés voir la villa.

Je sursaute. Ce n'est pas du tout à cela que je m'attendais.

– Mais je pensais qu'elle coûtait trop cher.

Tu hausses les sourcils.

– Ah, mais pas lorsqu'on maîtrise l'art de la négociation.

Je te dévisage maintenant, sans deviner ce que tu veux dire.

– J'ai simplement dit à cet homme – n'est-ce pas, Leonard ? – que la villa coûtait trop cher, mais que nous étions prêts à la louer.

– Et il a accepté ? demandé-je bien vite.

– Bien sûr. Nous changerons les fenêtres, nous apporterons nos propres meubles, et la villa est à nous pour 300 francs par mois dès que nous voudrons.

– Mais c'est une bouchée de pain !

Tu es radieuse.

– Tu vois, je n'exagérais pas.

– Cela signifie-t-il que la villa n'est plus à vendre ?

Je me penche pour entendre ta réponse à la question de Duncan. Tu tires une nouvelle bouffée de ta cigarette.

159

– Nous ne nous sommes pas mis d'accord sur ce point, concèdes-tu.

– Oh, alors, dis-je avec un grand soulagement, ce n'est pas vraiment une bonne affaire si tu payes de nouvelles fenêtres et que la villa est aussitôt vendue à quelqu'un d'autre !

Tu refuses de te laisser dévier et tu lèves ton verre.

– Mais elle ne sera pas vendue ! Alors trinquons à notre nouvelle vie à Cassis.

Tu me lances l'un de tes sourires les plus ensorceleurs.

Plus tard, tu m'intercèptes alors que je monte me coucher. Tu m'entraînes vers le salon et tu t'installes sur le canapé.

– J'ai besoin de te parler. Je ne comprends pas ta réaction à propos de la villa. Après tout, tu as passé une bonne partie de l'été dernier à essayer de nous persuader d'emménager ici !

Je m'assieds à côté de toi et j'essaye de calmer mon esprit parti au galop. Ce que tu dis est vrai. Je croyais qu'en te persuadant de prendre une maison ici, je ne serais pas obligée de repartir en Angleterre pour l'hiver. Pourtant, l'idée que tu pourrais vivre juste en face m'inquiète tout à coup.

– J'ai peur que tu ne sois pas heureuse, c'est tout.

Je bute sur mes mots.

– Nous menons une vie si différente ici, nous vivons très simplement.

– Exactement !

Tu as les yeux qui brillent, maintenant.

Je me force à poursuivre.

– Je ne suis pas sûre que ça te convienne.

Tu agites le bras, comme pour chasser une mouche importune.

– Sottises ! Leonard et moi, nous sommes mêlés à beaucoup trop de choses en Angleterre. Cela nous fera un bien fou de nous en éloigner.

– C'est bien pour ça, tout ce qui compte pour moi, la peinture, les enfants... C'est l'endroit idéal pour eux.

Le vin que j'ai bu au dîner court dans mes veines et me fait dire des choses que je regretterai, je le sais. J'insiste néanmoins.

– Ce que je veux dire, c'est que... ta vie est très différente. Tu as besoin de bibliothèques, de gens. Moi, peu importe où je suis, du moment que...

– Du moment que je suis près de toi.

Le ton suppliant de ta voix m'interdit de te rabrouer. Tu te rapproches.

– Nessa... Sincèrement, si tu t'installes ici pour de bon, je ne crois pas que je le supporterai. Sans toi, ma vie en Angleterre me paraît stérile et sèche. C'est toi qui fais danser le monde. Pour que mon vertige cesse, j'appuie ma tête contre ta poitrine.

– Ne sois pas bête ! osé-je, mes mots à moitié étouffés par ta robe. Tu te débrouilleras très bien sans moi. Après tout, ajouté-je en relevant la tête, sans moi, tu pourras faire ce que tu aimes le plus.

Je pose un baiser sur ta joue.

– C'est-à-dire ? demandes-tu.

– Eh bien, tu pourras m'inventer autant qu'il te plaira.

Angelica est la première à la voir et pointe un doigt enthousiaste vers la créature qui entre par la fenêtre ouverte. Nous faisons le silence alors qu'elle tournoie dans la pièce avant de se poser sur la lampe, au centre de la table. Je n'en ai jamais vu de spécimen aussi énorme.

– C'est une chauve-souris ? se demande Angelica dans un murmure impressionné.

Duncan secoue la tête.

– C'est un papillon de nuit, lui répond-il. Un grand paon, je pense, vu sa taille.

– Pourquoi est-ce qu'il n'arrête pas de tourner autour de la lampe ?

Angelica chuchote à présent un peu plus fort.

– Il est attiré par la lumière, lui apprends-tu. Il croit pouvoir entrer dedans.

J'admire un instant le papillon, puis je me lève et je ferme la fenêtre. Angelica proteste.

– Ne fais pas ça, il ne pourra plus sortir.

J'ignore sa moue mécontente.

– Va plutôt chercher ton filet à papillons, dans le vestibule ! Essayons de l'attraper pour la collection de Julian.

Docile, Angelica court dans le vestibule et revient avec son filet. Je le lui prends des mains. Le papillon continue à décrire sa lente spirale d'adoration autour de la lampe. Je calibre mon coup, mais je suis moi-même surprise par la farouche résistance de l'insecte. Je maintiens le filet contre le verre et, au bout de quelques minutes, le papillon cesse de se débattre. Angelica a blêmi.

– Oh, Maman, laisse-le s'envoler. Il est trop gros. Ne le tue pas.

Je ramasse un magazine que je glisse sous le filet. Je pose le filet sur la table et bloque le manche avec un livre. Puis je vais dans la cuisine et j'en reviens avec un flacon de chloroforme et un chiffon. Angelica pleure maintenant, elle tire sur ma manche quand j'ôte le couvercle du flacon pour verser un peu de chloroforme sur le chiffon. Je regarde le papillon prisonnier du filet. Ses ailes sont couvertes de fourrure, d'un brun fauve pâle. J'imagine son essor soudain si je soulevais le filet pour le libérer.

– De toute façon, il va bientôt mourir.

L'intervention de Leonard paraît décisive. Angelica fixe son regard sur lui, puis sur moi. Tu hoches la tête. Je lève le filet de deux centimètres et je place à l'intérieur le chiffon imbibé de chloroforme. Pendant un instant, personne ne parle.

– Viens, finis-je par dire à Angelica en lui tendant la main. C'est l'heure d'aller au lit.

Cette nuit-là, durant une insomnie, je crois entendre le léger battement d'ailes faire le tour du plafond, au-dessus de ma tête. Je pense à Angelica implorant ma pitié, à Leonard parlant au nom du bon sens, à ma volonté de capturer ce papillon de nuit pour Julian. Je me rappelle Stella, Thoby, Maman. Comme leur mort semble absurde.

Je sors du lit et je jette un châle autour de mes épaules. Le salon est plongé dans le noir, à l'exception du clair de lune admis par la fenêtre sans rideau. Le filet est encore sur la table, retenu par le livre. Je m'en approche et je regarde à l'intérieur. Grâce aux rayons de la lune, je vois très bien le papillon. Il paraît plus petit, maintenant qu'il ne bouge plus. J'ouvre la fenêtre et je sens l'air frais envahir la pièce. Je ramasse le filet avec le magazine tout contre et je le porte jusqu'à la fenêtre. Puis je soulève le magazine et je secoue doucement le papillon pour qu'il s'en aille. Je reste un moment à guetter en vain son envol. Finalement, je referme la fenêtre.

En me retournant, j'aperçois ta silhouette dans l'encadrement de la porte.

– Il m'avait bien semblé t'avoir entendue. Est-il mort ?

– Je crois. J'ai voulu le laisser s'échapper, mais je ne l'ai pas vu s'envoler.

– Bravo ! Comme ça, tu contraries tout le monde. Tu ne pourras pas dire à Angelica qu'il est vivant et tu ne pourras pas donner à Julian son trophée.

– Il est vrai que Julian aurait adoré ça.

Tu viens me rejoindre à la fenêtre.

– Qu'est-ce que tu ne ferais pas pour tes sales gosses ! Je me dis parfois que tu me jetterais dans l'huile bouillante si ça leur faisait plaisir.

Je ris malgré moi.

– Voudrais-tu un peu de cacao ?

Nous allons dans la cuisine et j'allume la lumière. Tu t'assieds à table tandis que je fais chauffer une casserole de lait sur la gazinière.

– Tu te rappelles l'arbre aux papillons de nuit ? demandes-tu soudain.

Je dépose une cuillerée de cacao dans deux tasses et je lève les yeux.

– Tu sais, celui que Papa avait enduit de mélasse, à St. Ives, pour qu'on puisse attraper des papillons.

Je verse le lait bouillant dans les tasses et je m'assieds face à toi.

– Je me rappelle la collection de Papa. Impeccablement rangée dans l'ordre alphabétique, avec les noms écrits en dessous de chaque spécimen.

Je prends une gorgée de cacao fumant.

– Autrefois, je pensais que la vie adulte ressemblait à ça. Tout devait être organisé, à sa place.

Je regarde la cuisine. Il y a des assiettes sales dans l'évier, une pile de linge sale près de la lessiveuse. Je soupire.

– Ma vie adulte se révèle être tout le contraire.

Je rassemble quelques dessins inachevés sur la table et je les pousse sur le côté.

– Des morceaux épars, comme les bouts de tissu au fond du panier à ouvrage de Maman. Rien de fini, rien de mené à bien.

Tu me dévisages.

– Au moins, tu as tous les fils. Ils sont entre tes mains.

– Vu comme ça, toute vie adulte est une réussite !

Tu hausses les épaules.

– Non, Ness. Toi, tu tiens la lampe. Et puis il y a les papillons solitaires comme moi qui tournent autour de la lumière, qui cherchent l'entrée.

– Je savais que tu en tirerais toute une allégorie ! Et les autres qui étaient assis autour de la table ce soir ? Quel rôle jouent-ils là-dedans ?

Tu te penches et tu fixes ton regard sur moi.

– Ils incarnent les différentes voix, symbolisées par le papillon de nuit.

– On dirait le début d'un de tes romans.

Je lis la liste des invités et je me demande, trop tard, si j'ai bien fait d'envoyer tant de cartons. Pour apaiser mes craintes, je fais les cent pas en admirant le mobilier que nous avons peint, Duncan et moi. Presque tout y est passé : il y a des fresques sur les murs, et même le piano, au centre, a été décoré. À un bout de la salle sont présentés des objets que nous espérons vendre.

Roger est le premier à arriver.

– C'est un triomphe ! Tu vas être fêtée et adorée dans tout Londres !

Ses flatteries me font sourire. C'est à peine s'il a jeté un coup d'œil à notre production. Avant que je ne puisse le taquiner, d'autres invités apparaissent. Je me poste derrière la table des boissons et je distribue des verres de punch. J'essaye de ne pas entendre ce qui se dit sur notre travail.

J'aperçois Lytton dans un coin de la pièce et je lui fais signe. Il se dirige aussitôt vers moi.

– Ma chère, je n'aurais jamais pensé que vous alliez attirer ces messieurs les journalistes par meutes entières ! Je suis littéralement épuisé à force de devoir expliquer la différence entre provençal et italianisant. Je frémis à l'idée de la façon dont ils déformeront mes propos !

Près de la porte, on s'agite. Je te vois entrer, suivie par une grosse femme à cheveux gris, vêtue d'un tailleur minable et d'un tricorne. La nouvelle de ton arrivée fait circuler comme une onde électrique à travers la salle. Lytton ajuste son monocle pour mieux voir.

– Ah, la divine Virginia, qui provoque l'émoi habituel ! Quel ravissement de la rencontrer ici. Nos chemins ne semblent plus guère se croiser, ces temps-ci.

– Elle est l'une des mécènes de l'exposition. Elle s'est engagée à dépenser au moins cent livres sterling, et elle affirme que peu lui importe ce qu'elle aura pour ce prix-là.

Lytton rit.

– Nos amis de la presse fondent sur elle comme les vautours qu'ils sont, sans doute dans l'espoir de rapporter quelques morceaux de choix sur le nouveau livre. Pourtant, avec vous comme coupe-file, nous devrions pouvoir fendre la masse.

Lytton se lance courageusement dans ta direction. Je le suis à contrecœur. J'aimerais l'interroger au sujet de Carrington. La foule réunie autour de toi augmente encore. J'aurais dû me douter que, même le jour de mon exposition, tu me volerais la vedette. Une voix sonore et véhémente tempête par-dessus le brouhaha.

– Mon bon ami, depuis quand les journalistes comprennent-ils quoi que ce soit à ce qu'on leur dit ?

Je m'efforce de deviner ce qui se passe. La voix continue, tonitruante.

– Je vous l'ai dit, Mrs Woolf est fatiguée, elle ne répondra plus à une seule question ce soir. Maintenant, veuillez avoir la bonté de nous laisser passer.

Ta compagne joue des coudes et te conduit jusqu'à un siège. Dès que quelqu'un tente de s'approcher de toi, elle se lève et chasse les importuns avec son parapluie. C'est un spectacle cocasse.

La harpiste arrive. Je m'occupe de disposer les chaises. C'est seulement lorsqu'elle commence à jouer que je remarque Leonard, sur le pas de la porte. Il te cherche dans la pièce, te voit installée avec ton amie, puis vient occuper la place libre à côté de moi. Lorsque la musique s'interrompt, je me penche vers lui.

– Qui est cette femme qui accompagne Virginia ?

Il tourne vers moi un visage douloureux.

– Ethel Smyth.

Je réponds dans un murmure.

– La suffragette ? N'a-t-elle pas été emprisonnée avec Emmeline Pankhurst ?

Leonard hoche la tête.

– Et maintenant elle compose de la musique de manière tout aussi belliqueuse.

Un bras se déploie, me touche, et je lève brusquement les yeux. Tu es devant moi, souriante.

– Ness ! Voilà un des avantages de ton retour en Angleterre. À présent, nous nous croisons dans la rue. Je ne savais même pas que tu étais à Londres.

Mes doigts s'enfoncent dans ma poche pour retrouver la lettre de Duncan. Le papier coupe ma peau comme un rasoir. Un tel tumulte règne dans mes sentiments que je préfère ne rien te répondre. Tu glisses ton bras sous le mien.

– Allons prendre un thé.

Les mots de Duncan se répandent et dégringolent dans mon esprit. J'ai besoin d'être dans un endroit silencieux pour me calmer. Je secoue la tête.

– Je suis désolée, il faut que j'aille au... musée.

Tu me dévisages. Je vois que tu n'es pas dupe de ma ruse.

– Bon, alors, viens déjeuner demain. Je t'attends pour treize heures.

Je reste rivée au trottoir. C'est précisément l'heure à laquelle Duncan propose que je rencontre Peter. J'essaye de me rappeler les mots qu'il a employés pour décrire les yeux de Peter. Une histoire d'herbe après la fonte des neiges. Je me représente du vert avec du blanc qui se retire tout autour, les brins jaunis par la privation de lumière.

– Je ne peux pas, je dois... En fait, je déjeune avec Duncan.

Je ne puis dissimuler le conflit de mes émotions. Tu places un bras autour de ma taille.

– Ma chérie, que se passe-t-il ? Il y a quelque chose qui ne va pas. Ne me cache rien.

Je te laisse me conduire jusqu'à un banc tranquille au milieu du square.

– Je déjeune avec Duncan. Il m'a demandé de rencontrer... Peter.

Tes yeux s'illuminent, maintenant que tu sais.

– Il n'a pas le droit ! C'est trop dur pour toi !

– Non. C'est moi qui ai voulu. Il le fait pour moi.

– Mais pourquoi ?

Je regarde les arbres, les nuages qui fuient dans le ciel. Tous les points d'ancrage auxquels je m'accroche semblent se fissurer et se briser au-dessus de ma tête.

– Parce que... je ne supporte pas de ne pas le voir.

Pendant un moment, nous ne parlons ni l'une ni l'autre. Puis ta main vient chercher la mienne.

– Laisse-moi au moins t'accompagner. Comme ça, nous serons quatre. Je pourrais m'occuper de... cette personne... pendant que tu parleras à Duncan.

Je serre ta main.

– Non. Merci. C'est très gentil de ta part, mais il faut que j'affronte cela seule.

Je m'oblige à me lever. En m'éloignant, je t'entends me héler.

– Je serai à Rodmell ce week-end. Je viendrai te voir dimanche.

Je ne peux empêcher les images de se former dans mon esprit. Je pousse ma canne dans la rivière et je vois l'eau tourbillonner autour du bâton en cercles rapides. Si je ferme les yeux, je ne vois que le visage de Duncan, souriant lorsqu'il se penche contre Peter. J'entre dans l'eau et je sens le froid glacé pénétrer mes chaussures. Près de la berge, il y a assez peu d'eau, elle est toute brune de boue. Je m'avance et j'observe le niveau qui monte. Je reste proche du pont, dont la masse me rend invisible. Ce serait une catastrophe si quelqu'un voyait ce que je suis sur le point de faire. Je me sens plus sereine maintenant que je suis dans l'eau, comme si le froid engourdissait lentement ma douleur. C'est ce que je désire. Ne plus rien sentir. Ne plus aspirer à ce que je ne puis avoir. Je continue jusqu'au centre de la rivière. L'eau est plus profonde ici et je laisse le courant s'emparer de moi. Je cède volontiers lorsque la rivière me soulève.

Le tintement persistant de la sonnette me ramène à la réalité. Je place mes mains sur mes oreilles pour ne plus entendre ce bruit. Je contemple la série d'empreintes boueuses que mes chaussures ont laissée à terre et j'attends que l'intrus s'en aille. Mes vêtements sont déchirés, mes jambes et mes bras sont couverts d'égratignures. Je porte la main à mon front, et quand je la retire, mes doigts sont poissés de sang. Lentement, je me souviens du choc de l'eau qui m'a comme anesthésiée. Je me rappelle la force du courant me précipitant vers le pont, dont le dessous menaçant planait devant moi, l'élan de la rivière me projetant contre sa grille. Je ne sais pas combien de temps je suis restée coincée là, à vouloir désespérément replonger. Je ne pensais qu'à une chose : la déclaration de Duncan lors de ce déjeuner avec Peter, selon laquelle il ne pourrait plus jamais me faire l'amour. Je regardais l'eau courante et j'avais envie d'être libérée par son étreinte. Pourtant, quelque chose me retenait. La peur, peut-être ? À un moment, j'ai dû ramper, épuisée, hors d'haleine, le long d'une grosse poutrelle pour me hisser sur la berge.

La sonnerie cesse. Après un moment de silence, je vois ton visage à la fenêtre. Soudain, je me souviens : nous sommes dimanche matin, le jour où tu avais dit que tu viendrais. Tu scrutes l'intérieur de la maison. Tu finis par me trouver et tu me fais signe. Je me tapis dans l'ombre, mais c'est inutile. Tu fais le tour jusqu'aux portes-fenêtres et tu entres. En comprenant dans quel état je suis, tu te précipites vers moi.

– Ness, ma chérie. Qu'a-t-il bien pu t'arriver ? Tu es trempée. Et couverte de sang. As-tu eu un accident ?

Je ne peux pas répondre.

– Es-tu tombée dans la rivière ?

Je ne dis toujours rien. Peu à peu, tu devines la vérité.

– Oh, mon Dieu ! Qu'as-tu fait ?

Tu m'aides à me déshabiller et tu m'enroules dans une couverture chaude. Tu mets des bûches dans la cheminée. Puis tu vas chercher de l'eau et un linge dans la cuisine, pour nettoyer mes blessures à la tête. En même temps, tu me parles.

– Pourquoi n'es-tu pas venue à moi ? Je ne supporte pas l'idée de ce qui aurait pu arriver.

Maintenant que tu as quelque chose de concret à faire, tu ne sembles pas t'inquiéter que je ne réponde pas. Quand tu as fini de panser mes plaies, tu vas chercher une bouteille de brandy dans le placard et tu m'en sers un verre.

– Bois. Ça t'aidera.

Tu portes le verre à mes lèvres. J'en sirote une gorgée.

– Je n'aurais jamais soupçonné que tu... Je pensais être la seule à envisager d'en finir.

Tu me laisses reprendre mon souffle, puis tu portes à nouveau le verre à mes lèvres.

– Je t'imagine toujours heureuse, au centre des choses.

Le brandy commence à produire son effet. La pensée de Julian, de Quentin, d'Angelica affleure dans mon esprit. J'essaye de parler.

– Tu veux bien me promettre... ?

J'ai la voix rauque et tu te penches plus près.

– Tout ce que tu voudras, ma chérie.

– Non, c'est important.

Parler m'est pénible, mais je m'oblige à continuer.

– Je veux que tu me promettes de ne jamais en parler à personne. Je ne supporterais pas que les enfants l'apprennent. Ou Duncan.

Je me tais un instant.

– Promets-moi. Que tu n'en parleras à personne. Pas même à Leonard.

Tu serres ma main.

– Je le promets, si tu acceptes de me promettre quelque chose en retour.

Tes mots me prennent au dépourvu. Je te regarde et je vois que tu as les yeux remplis de larmes.

– Je veux que tu me jures que, quoi qu'il arrive, si horrible que la vie paraisse, tu ne réessayeras jamais une chose pareille.

Je hoche la tête. Dans ta voix, rien n'indique l'importance du pacte que nous venons de conclure.

Angelica est agenouillée sur le lit, à côté de moi. Elle a devant elle un plateau sur lequel elle a rassemblé tout un assortiment de rouges à lèvres, de fards, de pots de poudres et de pinceaux. Je sens la douceur de ses doigts lorsqu'elle se met à poser les couleurs sur mon visage. Elle glousse en appliquant des taches de rouge, des traits de rose, de grandes barres bleues. Elle me recrée en partant de zéro.

La pièce scintille de lumière. La plupart des invités sont déjà arrivés et, comme nous, arborent les déguisements les plus invraisemblables. Angelica tremble d'excitation. La gaze de sa jupe de fée se soulève lorsqu'elle danse d'un pied sur l'autre, et les ailes d'argent qu'elle s'est suspendues dans le dos frémissent comme si elle pouvait s'envoler d'un instant à l'autre. Clive, qui nous a accompagnées à cette fête, disparaît dans la foule. Je le vois tournoyer d'un groupe à l'autre comme une toupie d'enfant. Je m'accroche à Angelica et je la guide vers le bar. Nous sommes saluées par une femme en culotte courte, avec un bandeau de pirate sur l'œil. Je change aussitôt de direction. C'est trop tard. La silhouette s'avance vers nous.

– Mes chères ! Vous êtes absolument splendides ! Je pourrais vous manger toutes les deux !

Lydia plante ses lèvres rouges sur mes deux joues avant de se tourner vers Angelica.

– Quel ange !

Elle nous prend toutes deux par le bras. Le perroquet empaillé bascule sur son épaule.

– À présent, j'exige toutes les nouvelles ! Est-il vrai qu'on vous ait demandé, à Duncan et à toi, de décorer le yacht royal ?

Avant que j'aie pu la contredire, Lydia aperçoit quelqu'un à l'autre bout de la salle et, avec une ultime exhortation à nous trouver un sorbet, elle plonge dans la foule.

Je suis soulagée en vous voyant, Leonard et toi, près de la fenêtre. Nous nous frayons un chemin jusqu'à vous. Tu t'extasies devant le costume d'Angelica, puis tu te tournes vers moi.

– On dirait que tu viens de subir l'effet Lydia.

– Comment Maynard peut-il envisager d'épouser une créature pareille ? Ça me dépasse.

Nous rions toutes les deux. Tu passes ton bras sous le mien.

– Viens, laissons Leonard et Angelica se battre pour les glaces et cherchons un endroit où nous asseoir.

Nous nous dirigeons vers un coin tranquille et nous nous posons sur deux chaises inoccupées. Tu te penches vers moi.

– Comment te sens-tu ?

Je hoche la tête.

– Mieux. Je suis contente d'avoir Angelica avec moi. Billy...

Tu m'interromps, comme si tu savais ce que je m'efforçait de dire.

– Tais-toi, je t'en prie.

Avant que je n'aie pu protester, Leonard accourt vers nous, tout pâle.

– J'ai laissé Angelica avec Duncan, explique-t-il. Je viens de croiser Mary. Lytton est mort ce matin.

Instinctivement, tu saisis ma main. C'est la nouvelle que nous redoutions tous.

– Et Carrington ?

– Ralph est avec elle. Elle est dans tous ses états, apparemment.

Tout le monde reste muet pendant un moment. La nouvelle est trop brutale, trop crue. Nous nous rappelons tous la tentative de suicide de Carrington lorsqu'il est devenu évident que Lytton était gravement malade. Tu contemples le plancher.

– Je vais lui écrire. Pour l'inviter chez nous.

Leonard s'assied à côté de toi et t'entoure de son bras.

– Ralph a peur de la laisser seule.

Soudain tu exploses.

– Il ne faut pas la laisser finir comme ça ! Lytton l'adorait. Tant qu'elle vivra, c'est un peu de lui, peut-être le meilleur de lui qui survivra.

Tu trembles comme une feuille. Leonard me regarde.

– Dois-je appeler un taxi ?

J'acquiesce. Il semble bien vain de rester à cette fête.

La boule roule sur l'herbe et vient s'arrêter à un millimètre du cochonnet. Dans ses fonctions officielles d'arbitre, Leonard mesure la distance et déclare que tu es la gagnante. Tu cours vers tes adversaires et leur adresses une révérence.

– Angelica, veux-tu bien m'aider à apporter le thé ?

Je te vois murmurer quelque chose à l'oreille d'Angelica. Elle approuve, puis court après moi. Nous partons ensemble dans la cuisine et je lui confie un plateau.

– Peux-tu porter les tasses et les soucoupes et les poser sur la table ?

Angelica s'attarde près de la gazinière, l'air gêné.

– Qu'y a-t-il ? demandé-je tout en versant de l'eau bouillante dans la théière.

– Tante Ginny dit qu'elle va demander aux fées de l'argent pour m'acheter des vêtements, commence Angelica.

La théière est remplie, je remue un peu les feuilles.

– Mais tu as de très beaux habits.

J'essaye de garder une voix neutre.

Angelica danse d'un pied sur l'autre.

– Elle a dit que je pourrai dépenser cet argent comme je voudrai. Je sais que nous en manquons souvent, et tante Ginny est très riche.

Je tressaille.

– Nous y réfléchirons, dis-je en déposant la théière et une assiette de scones sur un second plateau. Maintenant, emportons tout ça dans le jardin avant que ça ne refroidisse.

Tout va bien pour moi tant que nous prenons le thé. Après, j'encourage Angelica et Quentin à emmener Leonard en promenade. Dès qu'ils ne peuvent plus nous entendre, je saisis l'occasion.

– Angelica dit que tu as proposé de lui donner de l'argent de poche.

– Oui. Elle aime les belles choses et j'ai pensé...

– Tu as pensé que tu pouvais arriver avec tes gros sabots et n'en faire qu'à ta tête !

– Tu es injuste, Ness.

– Vraiment ? Si ton intention était vraiment d'être gentille, tu aurais dû me consulter d'abord. Tu crois que je ne vois pas que tu te sers d'elle comme d'un pion ?

Tu cesses d'empiler les tasses sales et tu lèves la tête.

– Je ne vois pas de quoi tu veux parler.

– Tous ces messages des fées qui me sont destinés. Qu'est-ce que tu essayes de me dire ? Que je suis incapable d'élever mes enfants ?

Tu détournes les yeux. Je commence à regretter ma colère.

– Les choses sont déjà assez difficiles entre nous en ce moment.

Je me mords la lèvre, sans savoir si je dois continuer. Tu sens mon hésitation.

– Angelica t'adore. Tous tes enfants t'adorent.

Je secoue la tête.

– Non, je ne parle pas de ça. Angelica m'a posé des questions sur Clive.

Tu poses la vaisselle empilée sur un plateau.

– Quel genre de questions ?

– Oh, rien de très précis. Elle veut savoir pourquoi Clive passe tout son temps à Londres.

Je m'affaire avec la vaisselle.

– Elle ne sait toujours pas ?

Je secoue la tête.

– Ne crois-tu pas qu'il serait temps de lui dire la vérité ?

Je te dévisage avec effroi.

– Impossible ! Elle est beaucoup trop jeune. Et en tout cas, imagine combien ce serait difficile pour Clive. Elle porte son nom.

– Elle l'apprendra tôt ou tard. Elle ressemble même à Duncan.

– Elle l'apprendra, mais pas tout de suite.

– Je ne vois pas en quoi cela aidera de différer ainsi.

Je te regarde, impuissante. Soudain, je laisse échapper la vérité.

– Duncan ne viendrait peut-être plus s'il sentait peser sur lui des responsabilités de père.

Je prends l'un des plateaux et je traverse le jardin. Après quelques instants, tu prends l'autre et tu me suis dans la cuisine.

Je suis assise entre trop de chaises. Non, ce n'est pas la bonne formule, tu te moquais toujours de mon incapacité à me rappeler correctement les expressions. Malgré tout, c'est cette idée qui domine mon esprit alors que je fais signe à Angelica à l'heure de son départ. Je regarde la voiture serpenter sur la route, j'essaye de la voir une dernière fois avant qu'elle ne disparaisse. Je reste un moment sur le pas de la porte, à contempler le jardin. Une brume s'est formée sur l'étang et la lumière a cet éclat nacré du petit matin. Je rentre dans la maison.

Maintenant qu'Angelica est partie, j'ai ma journée entière pour peindre. Je traverse le vestibule et je me dirige vers le salon. Je ne suis pas encore prête à aller dans mon atelier. Je trouve une chaise et je me rappelle les ambitions que je nourrissais pour mon art avant la naissance de mes enfants. Les journées et les semaines du trimestre scolaire d'Angelica s'étendent devant moi, mais, au lieu de goûter cette liberté longtemps désirée, je n'ai aucune envie de travailler. Sur la table, le journal s'offre à moi. Je résiste à la tentation de le lire. Je sais que cela me détournerait de l'essentiel. Je dois accepter le vide, je dois trouver le moyen de renouer les liens avec la jeune femme que j'étais jadis.

Je travaille à deux grandes toiles en même temps. L'une d'elles est presque terminée, et je viens à peine de commencer l'autre. Je fais des allées et venues entre les deux. Les défis que je rencontre pour le nouveau tableau sont un soulagement bienvenu après les problèmes que m'a posés le plus ancien. Dans le premier, une femme élégante est perchée sur un tabouret devant un feu. Elle regarde le corps nu d'un petit garçon, son fils, peut-on supposer. Il y a dans ses yeux une froideur, un dédain, comme si elle réprimait quelque chose. Sur la droite, une autre femme est assise sur un canapé avec un enfant beaucoup plus petit. Elle porte des habits plus ordinaires. Ses chaussures usées et plates offrent un contraste très net avec le cuir verni et les talons de l'autre. Contrairement à la première femme, elle se consacre entièrement à l'enfant qu'elle tient. Elle le porte dans ses bras, elle essaye de l'empêcher d'attraper un jouet. Le garçon plus âgé dévisage le petit. Sa position indique qu'il dirige son attention vers sa mère, mais il tourne la tête vers l'autre enfant. Les jouets – un cheval, un livre, un bateau – sont disposés afin de remplir l'espace entre les personnages, comme pour éliminer toute distance entre eux. La femme sur le tabouret tient un miroir et un mouchoir à la main. Je n'arrive pas à décider s'ils sont destinés au garçon ou s'ils montrent qu'elle s'apprête à partir. Quelque chose dans la façon dont elle regarde l'enfant nous dit qu'elle va bientôt s'en aller. Il y a de la résignation et de la mélancolie dans son expression. Elle examine le garçon de manière bien trop intense, au lieu de le serrer contre elle. Comme si elle savait que pour se détacher, elle devait s'empêcher de l'aimer.

Il n'y a pas d'enfants sur le deuxième tableau. Ici, je m'intéresse exclusivement aux deux femmes. À gauche, un nu allongé sur un canapé, qui se repose peut-être après avoir posé comme modèle. À droite, une femme habillée, admirant les fruits arrangés devant elle sur la table. Elle est peut-être l'artiste, même si l'on ne voit aucun matériel de peinture et même si sa tenue semble beaucoup trop élaborée. Elle semble tout à fait indifférente à la femme couchée sur le canapé. Ce qui se trouve dans le compotier l'accapare entièrement.

Je suis incapable de terminer ce second tableau. Il reste un vide en son centre. J'ajoute une poêle et un seau à charbon, une deuxième table plus basse, une lampe et un vase de fleurs, mais le vide persiste. Je commence à sentir qu'aucune des deux femmes n'est essentielle pour le tableau : l'œuvre d'art qu'elles créent semble hors de leur portée. La femme allongée appuie la tête sur son bras. Elle paraît fatiguée, comme désireuse de renoncer à son rôle de modèle pour se reposer. L'autre femme contemple le plat de fruits comme si elle ne parvenait pas à en saisir le secret. Le peintre est peut-être son mari ou son fils, et elle n'est qu'un accessoire, censée servir le thé aux invités de monsieur. Son regard suggère qu'elle est insatisfaite de son sort. Sa concentration fascinée laisse entendre qu'elle aussi aurait pu être artiste, si seulement le cadre avait été différent, si seulement les rôles avaient été inversés. À la fin, j'abandonne ce tableau. Je ne supporte pas de continuer. Quelque chose dans l'attitude des femmes implique que je suis responsable de leur échec, que mon devoir est de modifier leur destin. Or je ne vois pas comment je le pourrais.

Il y a une cheminée au milieu, une fenêtre à un bout, un petit poêle et une table de toilette dans un coin. J'entasse mes paquets près de la porte et je parcours l'espace. La nudité du lieu me plaît. Maintenant qu'Angelica est en pension et que je suis seule, j'ai décidé de fermer Charleston pendant quelques jours chaque semaine et de louer un studio à Londres près de Duncan. Je déballe mon premier colis. C'est l'une des peintures de Duncan, une cruche remplie des branches d'oranger et de citronnier qu'il avait rapportées en cadeau d'Afrique du Nord. Je la place sur l'étagère, au-dessus de la cheminée. L'atmosphère de la pièce change déjà. J'en fais à nouveau le tour, en réfléchissant à son aménagement. J'aurai un lit ici, qui fera office de divan dans la journée, et je planterai mon chevalet face à la fenêtre. J'achèterai un vieux paravent et je le décorerai pour séparer le poêle et la table de toilette du reste de l'espace. J'imagine des rideaux rouge foncé, à motif de feuilles dorées, des murs couleur crème. Comme il n'y a pas de chaise, je me perche sur l'appui de fenêtre et je prends mon carnet et mon crayon. En quelques secondes, je me mets à dessiner, mon crayon vole sur le papier alors que je m'efforce de transcrire ma vision. J'éprouve une sensation bien connue d'immersion.

Un matin, un chat surgit dans mon atelier, par la fenêtre ouverte. Je lui propose une soucoupe de lait qu'il lorgne avec méfiance. Je décide que le mieux à faire est de l'ignorer. Je commence à peindre, consciente – chaque fois que je lève les yeux – de ses yeux verts qui m'étudient. Au bout d'environ une heure, le chat repart vers la fenêtre, saute sur le rebord et disparaît sur le toit. Son départ me perturbe. En rinçant la soucoupe, j'ai l'impression d'avoir raté un test.

Le lendemain, le chat revient. Cette fois, il accepte le lait qu'il lape goulûment. Puis il s'accroupit pour me regarder travailler. Je le baptise Marco Polo.

Sa visite devient un rituel quotidien. Je me surprends à attendre son arrivée chaque matin. Je m'habitue à son regard perçant lorsque je peins. Nous devenons amis, en quelque sorte. Je trouve une vieille caisse et une couverture, et je dégage un espace pour lui près du poêle. Je lui parle tout en travaillant, je décris mon tableau ou les problèmes que je rencontre en cours d'exécution. J'ai la bizarre impression qu'il comprend. Bientôt, sa présence m'est indispensable. Je m'aperçois que je suis incapable de peindre quand je ne suis pas observée par ses yeux vert émeraude. J'admire son attitude dédaigneuse. Je me sens flattée d'avoir été choisie pour compagne. Surtout, son regard me ramène à ces jours lointains où nous travaillions l'une à côté de l'autre dans le jardin d'hiver, à la maison, quand nous tramions notre avenir.

Je suis chez toi, dans le vestibule, je cherche mon gilet quand le téléphone sonne. Je décroche et j'écoute une voix décrire la chute, le transfert à l'hôpital, la crise cardiaque imprévue. Quand la voix a dit tout ce qu'elle avait à dire, je raccroche et je contemple le numéro imprimé sur un carton au milieu du cadran. C'est un numéro que je connais à moitié et j'essaye de deviner à qui il appartient. Puis je me rappelle que c'est ton numéro, que Roger est mort, et que Leonard et toi vous attendez dehors sur la terrasse sans rien savoir.

Tu vois tout de suite qu'il s'est passé quelque chose. Tu lèves la main, comme pour te protéger d'un coup. Ton visage perd sa couleur lorsque je t'annonce la nouvelle. Nous restons immobiles et muets pendant un long moment. Puis Leonard se lève et rentre dans la maison en silence. Je me tourne vers toi. Tu serres ta poitrine entre tes bras et tu te balances d'avant en arrière sur ta chaise comme un enfant. Sans avoir besoin de te poser la question, je sais que tu penses comme moi à la brutalité de toute mort.

Des images de Roger dansent devant moi. Je me rappelle son énergie, la musique éclatante de sa voix. Je songe à son amour que j'ai repoussé, à son amitié que je considérais comme allant de soi. Soudain je hurle. Je ferme les yeux et je n'ose plus les rouvrir. Si je les rouvre, je sens que la lumière me détruira. Mes paupières sont aussi fragiles que les ailes d'un papillon de nuit, mais elles me protègent de l'anéantissement. Je suis terrifiée à l'idée qu'elles finiront par s'ouvrir et que je serai alors punie pour mon crime.

Je deviens consciente de ta présence. Tu vois que je suis éveillée et tu viens aussitôt à mon chevet.

– Ma chérie, comment te sens-tu ? Qu'est-ce qui te ferait plaisir ?

Je secoue la tête.

– Tu nous as fait terriblement peur.

Je pense à Duncan, aux enfants, et j'essaye de parler. Tu me tapotes la main.

– Chut, ne parle pas tout de suite. Il faut d'abord que tu boives quelque chose.

Tu prends un verre sur le plateau posé près de mon lit et tu le portes à mes lèvres. J'avale l'eau avec gratitude.

– Voilà. Ça te fera du bien.

Tu reposes le verre et tu t'assieds à côté de moi.

– Depuis combien de temps suis-je ainsi ? murmuré-je.

– Deux jours. Tu t'es écroulée sur la terrasse et nous avons décidé que le mieux était de te garder ici.

Je me saisis de ton bras.

– Je ne supporte pas l'idée de ne plus jamais pouvoir lui parler.

– Je sais.

Tu cherches dans ta poche et tu en retires une lettre. Je reconnais l'écriture de Roger.

– Je lisais justement sa dernière lettre. Il l'a écrite après avoir séjourné chez toi, à Charleston.

Tu sors les pages de leur enveloppe.

– Il parle de toi... de l'atmosphère unique que tu crées autour de toi, il dit que la beauté de ton mode de vie est un vrai soutien pour lui.

Je voudrais voir la lettre, mais il est trop tôt. Au lieu de quoi, je regarde le livre ouvert sur ta chaise.

– Tu veux bien me faire la lecture ?

Je m'accroche à ta voix lorsque tu racontes l'histoire du mariage de Perséphone avec Hadès. J'imagine la quête éperdue de Déméter et l'accord conclu avec Zeus, puis sa fille Perséphone émergeant des Enfers, éblouie par la véhémence de la lumière. Je me représente les grenades qu'elle tient à la main, cueillies dans le jardin d'Hadès au moment de sa libération. Était-ce un souvenir de son séjour dans le monde souterrain, ou une garantie pour éviter que Déméter n'obtienne entièrement satisfaction ?

Je ne peux plus mentir à ma fille. Voilà la réflexion qui, depuis ce matin, s'impose de plus en plus à mon esprit. Je fais le tour du jardin et je regarde un merle solitaire chercher des vers dans l'herbe.

J'emmène Angelica au salon. Curieusement, il me paraît plus facile de lui parler dans cette pièce. Ensemble, nous admirons une touffe de crocus violets sous les arbres. Elle ne dit pas un mot pendant que je parle. Le seul signe qu'elle m'écoute est le soudain serrement de sa main sur mon bras. Je voudrais qu'elle proteste, qu'elle me pose des questions, qu'elle me reproche de lui avoir dissimulé la vérité. Elle ne fait rien de tel. Quand j'ai terminé, elle dégage sa main et part dans le jardin. Lorsqu'elle traverse la pelouse, je revois le merle. Il tient un ver prisonnier dans son bec. Dans la soirée, je frappe à la porte d'Angelica. Pas de réponse, mais je sais qu'elle est là. Je m'assieds sur le palier, dans l'espoir qu'elle viendra parler. J'attends en vain.

Le monde devient chinois. À la radio, j'entends par hasard une émission sur Hankou, le grouillement des rues et les cris chantants des marchands sont retransmis jusque dans mon salon. Je visite l'exposition d'art chinois à la Royal Academy, j'en reviens avec des assiettes bariolées et un éventail de soie. J'achète une carte de la Chine et j'en découvre la géographie à mes moments perdus.

La lettre de Julian annonçant son intention d'enseigner l'anglais en Chine arrive alors que je suis à Cassis. Je sens à son ton que c'est une décision que je ne puis modifier. J'essaye d'imaginer trois années sans Julian et mon esprit se cabre à cette perspective. Je me hâte de regagner l'Angleterre pour passer avec lui le peu de temps qui reste.

À Newhaven, sur le quai, nous attendons le ferry ensemble. Je n'ose pas lâcher le bras de Julian. Je sais qu'aussitôt après l'avoir lâché, il s'écoulera longtemps avant que je ne puisse à nouveau le toucher. Nous formons un drôle de couple. Je suis consciente d'attirer les regards. Le sifflet retentit et je serre Julian en une ultime étreinte. En montant à bord, il se retourne pour me faire signe avant de disparaître dans la foule des passagers.

Je rentre à Charleston en roulant aussi lentement que possible. Je redoute la maison vide. Une fois à l'intérieur, je monte d'instinct dans la chambre de Julian. Je m'assieds sur son lit, je regarde ses livres et ses papiers, une veste laissée suspendue à une patère. Il doit maintenant avoir un autre paysage sous les yeux, un paysage que je suis encore incapable d'imaginer. J'enlève mes chaussures et je m'étends de tout mon long sur le lit. Je tends la main pour m'emparer de la veste. La laine rugueuse me rappelle le châle que

Maman se jetait sur les épaules lorsqu'elle disparaissait pour aller soigner quelqu'un. Je me rappelle la vision de la porte d'entrée se refermant derrière elle, le nœud que je sentais au creux de l'estomac en entendant ses pas descendre les marches de pierre. J'enfile la veste. Je ne sais comment supporter cette nouvelle séparation. J'entends la voix de Papa appeler Maman : « Julia ! Julia ! ». Pour la première fois, je suis frappée par l'écho de ce prénom avec celui de Julian.

Le timbre inhabituel sur l'enveloppe, mon nom et mon adresse dans l'écriture souple de Julian, tout cela me procure un sursaut immédiat de plaisir. Le papier mince craque lorsque je cueille la lettre sur le tapis pour l'emporter dans la cuisine. Mon cœur bondit lorsque j'ouvre l'enveloppe où je trouve plusieurs feuillets. J'extrais ces pages et je les pose sur la table. Je suis déchirée entre la volonté de savourer cet instant et mon désir de me plonger dans la lecture.

Les lettres de Julian deviennent le point culminant de ma semaine. Je les relis jusqu'à ce que j'aie l'impression non seulement de commencer à connaître un autre pays mais aussi de connaître autrement mon fils. Comme si la distance entre nous, le fait que nous ne puissions communiquer que par écrit, nous encourageait à en révéler davantage sur nous-mêmes que nous ne l'avions jamais osé auparavant. Je sens que Julian me dit tout, qu'il ne cache rien. Je me régale du luxe de cette exploration totale de son cœur et de son esprit. Je me mets à comprendre ses sentiments, à anticiper ses pensées. C'est un processus réciproque. À mon tour, je me surprends à déverser dans mes lettres toutes les vieilles blessures, à dévoiler des choses qu'il m'a toujours semblé impossible de dire. À mesure que les mois passent, je me rends compte que notre relation change. C'est maintenant Julian qui me donne des conseils, Julian qui me jure amour et soutien. La vie se déroule à travers mon fils.

Il n'y a pas assez d'argent pour payer la surtaxe. Le facteur attend patiemment à la porte, tenant un paquet dont je vois tout de suite qu'il vient de Julian. Je fouille dans mon porte-monnaie, je compte les pièces. Trois shillings et onze pence. Je cours dans la cuisine et je renverse le bocal où Grace garde la monnaie des courses. Seulement un autre shilling et une pièce de six pence, nous sommes encore loin de la somme nécessaire. Je reviens à la porte et je mets tout ce que j'ai dans la main du facteur. Il promet de revenir dans l'après-midi. Je le regarde repartir avec le paquet de Julian.

Quand on sonne à nouveau à la porte ce jour-là, j'ai l'argent prêt. Je remercie le facteur et j'emporte le paquet dans mon atelier. Je coupe avec précaution la ficelle et le papier brun. En découvrant le contenu, je reste bouche bée. Soigneusement empilées, des couches et des couches de soie chinoises aux couleurs vives. J'y promène mes doigts, j'en caresse la douceur. Des taches de rouge, de vert, de bleu, de jaune, d'orange, de rose, de mauve se répandent du papier. J'imagine Julian choisissant les couleurs, surveillant la découpe des coupons et les faisant plier en carrés. Je prends l'une des soieries et je la libère. Elle est d'un bleu si profond qu'il en est presque noir là où les plis se perdent dans l'ombre. Je le drape sur le dossier de mon fauteuil. Je secoue une autre longueur de tissu. Celui-ci est orange, il explose avec une telle intensité que j'en ai les yeux brûlés. Je déroule métrage après métrage, jusqu'à ce que la pièce scintille de couleurs. C'est comme si j'avais tiré un arc-en-ciel de ce paquet. Je noue l'une des soieries autour de ma taille, j'en passe une autre sur mes bras. J'en noue une dans mes cheveux, j'en glisse une autre autour de mes épaules. Je me regarde dans la glace et j'éclate de rire en voyant le résultat. J'ai envie de danser de joie. Je passe tout l'après-midi absorbée par mon colis, j'assortis les tissus en de nouvelles combinaisons. Je me régale de la façon dont les teintes s'harmonisent ou se heurtent, créant d'autres résonances, de nouveaux mélanges. Lorsqu'il est temps de descendre, je replie chaque morceau de soie en carré. Puis j'ouvre un tiroir et je le vide de toutes les esquisses que j'y ai rangées. Je dépose les tissus dans le tiroir, avec une feuille de papier vierge sur chaque couche. Quand la dernière est à l'abri, je ferme le tiroir. Je ne l'ouvre plus du vivant de Julian.

10

De ta fenêtre, j'admire les arbres du square. Tu as été appelée au sous-sol pour un problème concernant ta maison d'édition. J'ignore dans combien de temps tu remonteras. Je me détourne de la fenêtre et je parcours lentement la pièce. À l'autre extrémité, sur le mur, trois grands panneaux décoratifs que Duncan et moi avons peints ensemble, peu après ton emménagement ici. Je les contemple maintenant et j'essaye de les juger d'un œil critique. Les couleurs sont méditerranéennes – rouge, bleu, brun –, les natures mortes enfermées dans un ovale bordé de hachures. J'examine les objets : la table, la cruche et le rouleau de papier à ma gauche, le piano et la guitare devant moi, le vase de fleurs, le livre ouvert, l'éventail et la mandoline à ma droite. Je tente de ranimer mon état de concentration paisible, à l'époque où je travaillais aux côtés de Duncan.

Tu reviens dans la pièce, les sourcils froncés.

– Tout va bien ? demandé-je.

– Oui. Une erreur sur une commande. Par chance, quand j'ai vérifié, les instructions de Leonard étaient parfaitement claires.

Tu t'assieds dans ton fauteuil habituel. Les chiens, blottis sur le tapis devant le feu, se lèvent pour venir se coucher près de toi. Tu laisses ta main reposer sur la tête de Pinker.

– Nous avons reçu deux lettres de Julian. Une pour Leonard et une pour moi. Elles sont arrivées hier.

Je tressaille. C'est précisément le sujet dont j'espérais te parler.

– Que raconte Julian ? Il va bien ?

– On dirait qu'il veut à tout prix faire ses preuves. Dans la lettre de Leonard, en particulier, il n'est question que de politique. Il veut se servir du parti travailliste comme d'une base pour une révolution armée, et il compte sur Leonard pour l'aider !

Tes mots me font blêmir. Depuis des semaines, les lettres de Julian ne décrivent plus que sa frustration croissante face à l'attitude attentiste de la gauche.

– Selon lui, l'Europe est face à un seul choix : nous pouvons céder aux fascistes ou nous battre. Il pense qu'une action militaire d'envergure est le seul espoir pour l'Espagne.

Je me mords la lèvre.

– C'est ce que vous pensez, Leonard et toi ? Cela me paraît contredire tout ce pour quoi nous avons lutté pendant la dernière guerre.

À ma surprise, tu te détournes. Je te regarde caresser les oreilles de Pinker.

– Oh, nous en discutons aussi, dis-tu vaguement.

Tu lèves la main pour remettre une mèche de cheveux en place. Pinker, qui appréciait tes câlins, redresse la tête.

– Je suis inquiète pour Julian, avoué-je.

Tu pivotes dans ton fauteuil.

– Pourquoi ?

– Ce qu'il dit est tellement tout noir ou tout blanc. Je crains que la distance, son isolement en pays si lointain, ne lui fassent perdre de vue la réalité de la situation.

Tu ne cherches pas à dissimuler ton exaspération.

– Il est certain que cela lui donne une idée très fausse de ce qu'il pourrait accomplir ! Même ce projet d'aller en Espagne n'est qu'une étape, un moyen d'acquérir une expérience militaire sur le terrain, qu'il pourra ensuite exploiter pour un projet bien plus ambitieux !

– Mais son contrat prévoit qu'il passe encore une année…

Jusqu'ici, dans ses lettres, les commentaires de Julian sur l'Espagne étaient hypothétiques. Tu prends conscience de ma terreur.

– Te souviens-tu comme Quentin et lui jouaient à la guerre quand ils étaient petits ? Voilà ce que me rappellent ces lettres à présent. Les frustrations d'un petit garçon, déguisées en stratégie militaire. T'ai-je raconté la dernière fois où il est venu ici ? J'étais seule et, en regardant du haut de l'escalier, j'ai vu un inconnu dans le vestibule. Je l'ai hélé et lui ai demandé qui il était, et quand il a levé les yeux, j'ai enfin compris que ce n'était pas du tout un inconnu, mais simplement Julian, coiffé d'un énorme chapeau. Il était habillé n'importe comment. Il voulait un numéro de téléphone, je ne sais plus de qui, et je lui ai proposé de venir déjeuner avec moi. Il a secoué la tête en marmonnant qu'il avait trop de choses à faire, mais j'ai bien vu qu'il était content d'avoir été invité. Après, j'ai songé que c'était le cœur du problème : comment un jeune homme entouré d'une famille qui l'adore peut-il réussir à se libérer ?

– T'a-t-il dit qu'il avait une liaison ? demandé-je soudain.

Tu souris jusqu'aux oreilles.

– C'est la meilleure ! Je sais tout ce que vous représentez l'un pour l'autre, mais il faudra bien un jour qu'il vive sa vie.

Je regarde mes mains. Les ongles sont irréguliers et fendus, alors que je n'ai pas travaillé aujourd'hui.

– Quand il est parti pour la Chine, il m'a manqué terriblement. Puis les lettres se sont mises à arriver. J'ai eu l'impression qu'elles me le rendaient.

– Il n'y a rien de mal à s'écrire… commences-tu.

Pour une fois, je n'ai pas envie de ton indulgence et je poursuis ce que j'ai à dire.

– Je sens bien que je me suis trop accrochée à lui. J'ai toujours voulu le meilleur pour mes enfants, mais peut-être surtout pour Julian. Mon premier-né. Parfois, je pense que ce que je fais finit par leur causer du tort. Comme si j'étais incapable de les considérer comme des êtres autonomes, je ne vois en eux qu'une partie de moi-même. La meilleure.

Je laisse mes mains retomber sur mes genoux.

Tu me dévisages un moment en silence.

– Le fait qu'il ait une relation avec une femme montre que tu n'as pas fait tant de mal que ça à Julian.

Je secoue la tête.

– Ce n'est pas une véritable relation. Il n'a jamais eu de vraie liaison. C'est la femme d'un professeur de l'université où il enseigne.

– Le mari est au courant ?

– Bien sûr que non. Mais ce n'est qu'une question de temps avant qu'il ne l'apprenne.

– Et les conséquences ?

– Julian sera obligé de partir. J'en suis certaine.

Je repars vers la fenêtre. Je décide de tenter un dernier appel.

– Billy, veux-tu bien écrire à Julian pour moi ? Pour le convaincre de ne surtout pas aller en Espagne, quoi qu'il advienne. S'il lui arrivait quelque chose, je crois que je ne le supporterais pas.

Je te regarde droit dans les yeux. À mon grand soulagement, tu acquiesces.

Je m'oblige à rester active. Duncan me persuade d'aller voir l'exposition surréaliste à Londres avec lui, et je l'accompagne, malgré le peu de goût que m'inspire leur travail. Dès que j'entre dans la salle, je comprends que j'ai fait une erreur. Je choisis une toile presque au hasard et je lui consacre plusieurs minutes ; je sais qu'on ne peut pas examiner une peinture rapidement. Sur la gauche, une main en gros plan, l'énorme ongle du pouce face à nous. Les doigts tiennent un appareil bizarre fabriqué à partir de ce qui semble être une coquille de noix et des épingles métalliques. Certaines des épingles transpercent le doigt. À droite du tableau, deux têtes. Les yeux injectés de sang ont l'air humains, mais la forme de ces têtes est plutôt celle d'oiseaux. L'une d'elles arbore deux cornes auxquelles est attaché un fil. Au bout du fil, un ballon, un point noir dans le ciel.

Je n'aime pas ce tableau. Tous mes instincts de peintre en rejettent le symbolisme importun, les fragments d'un récit qui contrarie mon désir de voir. Malgré mes objections, mon esprit échafaude mille interprétations possibles. Est-ce la main de Dieu, en gros plan à gauche ? Les oiseaux forment-ils un couple ? Que penser du cruel ustensile ? Ou du ballon, qui semble flotter librement dans le lointain ? Ce n'est pas de la peinture, ai-je envie de hurler, c'est de l'inquisition picturale. On nous force à penser, pas à regarder. C'est l'antithèse de tout ce que j'ai toujours apprécié en art. Je me dirige vers la sortie.

La fraîcheur de la rue me rassérène. Je sais que Duncan restera encore un moment dans l'exposition et je pars l'attendre au parc. Je marche pendant plusieurs minutes avant de m'arrêter pour me reposer sur un banc voisin de l'étang. Les roses sont parfaitement épanouies ; leur parfum lourd embaume l'air. Je prends mon carnet de croquis et mes crayons, et je dessine le jet d'eau. Il y a des oiseaux perchés sur la statue, au centre. Tout en travaillant, je me rends compte avec horreur que j'ai reproduit les têtes d'oiseaux du tableau. Le fil que j'ai malgré moi attaché aux cornes du plus petit des deux ressemble à une bride, comme pour empêcher toute fuite. J'ajoute la main divine. S'agit-il des doigts d'un homme ou d'une femme ? Je dessine la coquille de noix, j'insère fidèlement la plus grosse épingle dans le pouce. Mais dans mon tableau, il y a du sang. Je trouve un pastel et je trace une plaie rouge, je déforme le pouce qui enregistre une soudaine douleur. J'arrache la page de mon carnet et je recommence ; cette fois, je reproduis avec soin une rose. Je dessine le cartouche chantourné des pétales extérieurs, le tour-billon serré du cœur. Je suis calme désormais, alors que je copie ma rose. Je continue jusqu'à ce qu'il soit temps d'aller chercher Duncan à l'exposition.

Les mots de Julian deviennent réalité. Mes pensées sont en désaccord, en discorde lorsque je lis la lettre où il annonce son intention de se battre pour les communistes en Espagne. Il me demande d'aller à Cassis pour que nous puissions nous rencontrer quand son bateau sera à quai à Marseille. Je réponds aussitôt, sen-tant que le temps presse. Je signale que d'autres que moi sont atta-chés à lui en Angleterre. Je lui rappelle Charleston, le coin ensoleillé du salon où il aime lire, ses promenades favorites dans les collines. Je plie la lettre dans son enveloppe et je la mets dans ma poche. Sur le chemin de la poste, j'arrache les pétales d'une églan-tine qui a fleuri dans la haie et je les écrase entre les feuillets de ma lettre. Ma supplique produit son effet ; Julian accepte de rentrer à la maison. Pour le moment, du moins, il est hors de danger.

J'organise une fête pour son retour. Vêtu d'une tunique chi-noise, Julian préside, à la place d'honneur. Je ne peux m'empêcher de le regarder constamment. Comme si mes yeux avaient besoin de se gorger de lui après tous ces mois de séparation. Il distribue les cadeaux qu'il nous a apportés. Pour moi, des soieries et du papier fabriqué à la main ; pour Duncan et Quentin, des dessins ; pour Angelica, un minuscule service à thé en porcelaine. Il y a des livres pour toi, Leonard et Clive. Nous l'interrogeons sur la Chine jusqu'à ce que notre stock de questions soit épuisé. Julian décrit les pay-sages, les hommes, les coutumes inhabituelles, les idiosyncrasies de la langue, comme s'il avait préparé chaque mot. Nous parlons jusqu'à une heure avancée. Quentin essaie la tunique de Julian et Angelica apprend à se tenir comme une vraie dame chinoise. Tu sembles toi-même intriguée par ce que Julian dit de son ami écri-vain Su-Hua. Quand tout le monde est monté se coucher, je reste à la table déserte et je prononce une prière silencieuse pour que ce bonheur perdure.

Le lendemain, je me promène avec Julian dans les collines. Bras dessus bras dessous, comme de vieux amants. Il me fait la révélation que je craignais. Il dit qu'il ne peut pas rester oisif alors que le gouvernement ne fait rien et que, pendant ce temps-là, les fascistes assoient toujours plus leur emprise. Il mentionne le nom d'autres qui sont partis. Il me dit qu'il a évalué les risques et qu'il est prêt à sacrifier sa vie pour une cause qu'il soutient pleinement.

Nous nous battons comme des fauves. J'ignorais qu'il était possible de se battre aussi longtemps ou avec une telle violence. Nous nous battons jusque tard dans la nuit, puis chacun se retire dans sa chambre, épuisé, nos arguments dans l'impasse, pour mieux recommencer dès les premières lueurs du jour, après avoir reconstitué nos réserves d'énergie et de munitions en vue d'une nouvelle attaque. Je déploie toutes les armes auxquelles je peux penser. Quand mes propres pouvoirs de persuasion échouent, je demande ton intervention, celle de Clive, de Maynard. À la fin, nous parvenons à un compromis, harassés. Julian ne s'engagera pas dans les Brigades internationales, il rejoindra le Comité d'aide médicale comme chauffeur volontaire.

C'est le mieux que j'aie pu faire. J'ai recouru à toutes les tactiques à ma disposition. Tout ce que je puis espérer, maintenant, c'est de limiter les risques. Je regarde Julian disparaître dans l'ambulance qu'il a réussi à acheter et à équiper, et je m'accroche au portail. Je ne sais pas combien de temps je reste ainsi. Tout ce dont je suis sûre, c'est qu'il fait noir quand je reviens dans la maison. J'allume les lampes, je fais du feu dans le salon, je cherche une occupation. Finalement, je ressors dans le jardin, en espérant que là, dans le silence, je retrouverai un peu de cette sérénité que j'éprouvais le jour où Julian est revenu.

Je tourne mon attention vers la maison. Cela m'apaise d'être au milieu des affaires de Julian et je décide de redécorer sa chambre.

Je suis frappée de constater comme il a tout laissé en ordre. Rien ne traîne sur son bureau, il a plié ses vêtements et les a rangés dans la commode. Je descends ses livres des étagères et je les entasse dans des caisses. J'écarte le lit de la fenêtre et je le recouvre d'un vieux drap. Puis je prépare mes peintures. Je travaille sans penser, je m'oblige à me concentrer sur les couleurs et les formes que j'ai devant moi. Je dessine une frise autour de la fenêtre, des vases gris remplis de lys, symboles de paix. Au-dessus du lambrequin, je peins des soleils jaunes encerclés de points bleus. Je remplis l'espace persistant entre les soleils d'un treillage brun, de cercles plus petits, de fleurs rouges et blanches. Soudain, du coin de l'œil, je vois bouger quelque chose. Je crois d'abord que c'est Quentin, mais quand le visage se lève, je comprends que c'est Julian. Je me retourne, incrédule. La silhouette disparaît. Je reste pétrifiée, une main sur le rebord de la fenêtre pour me soutenir. J'examine avec soin le reste de la pièce. Il n'y a personne. Mon œil tombe sur une petite clef restée dans la serrure du premier tiroir du bureau de Julian. Je la retire, dans l'intention de la mettre en lieu sûr. Mon geste fait s'entrouvrir le tiroir, qui n'est pas verrouillé. À l'intérieur, une pile de papiers. Sur le dessus, un message portant les mots « À n'ouvrir qu'après ma mort », écrits par Julian.

Une fois encore, je parviens à m'occuper. Quentin écrit une pièce de théâtre pour mon anniversaire. Nous prenons place dans le salon où les chaises ont été disposées en demi-cercle. Angelica se tient devant la cheminée, coiffée d'un chapeau conique où est écrit « Guide ». Elle porte toute une série de feuilles de papier et entreprend de nous étiqueter comme si nous étions des meubles. C'est d'abord le tour de Clive, Bunny et Maynard, puis toi, Leonard, Duncan et moi. Sans mes lunettes, j'ai du mal à déchiffrer les étiquettes. Quentin apparaît et lit un article de journal concernant une délégation de visiteurs venus de la Lune. Il semble que nous sommes en l'an 2036. Angelica accueille Quentin à Charleston et lui fait visiter la salle. Elle souligne que les décorations ont été réalisées grâce à une technique antique, combinant le pot de peinture et le pinceau. Quentin bâille, ces explications l'ennuient visiblement. C'est seulement quand Angelica commence à parler des occupants de la maison que Quentin manifeste un peu d'intérêt. Son appétit aiguisé, il questionne son guide pour obtenir des informations sur leur personnalité et leurs coutumes. Ses yeux s'écarquillent lorsqu'elle lui parle de ma tendance à recevoir les invités vêtue d'habits maculés de peinture ou de boue du jardin. Personne n'est épargné. Ta répugnance à être photographiée est tournée en ridicule, comme le refus sommaire qu'oppose Leonard chaque fois qu'on lui propose de participer à un jeu. Aiguillonnée par son interrogateur, Angelica révèle de plus en plus de nos travers. Clive consacre un temps infini à sa toilette du matin, Duncan est incapable de tenir ses promesses, Maynard est d'une avarice sans égale. Quand la pièce se termine, nous applaudissons, acclamons et exigeons un bis. Pendant près d'une heure, personne n'a mentionné les combats en Espagne.

Nous partons dans le jardin où nous attend une table garnie de nourriture. Je te trouve assise sur un tapis sous l'un des pommiers. Je me plante à côté de toi.

– Angelica a du talent, commences-tu. Elle pourrait aller loin.

– Elle adore jouer la comédie. Depuis toujours.

– Elle est très douée.

Tu te retournes pour me regarder en face.

– Je ne suis pas la seule à avoir remarqué comme elle était séduisante dans ce fourreau blanc.

– Que veux-tu dire ?

– Bunny ne l'a pas quittée des yeux !

– Bunny ? Ne sois pas bête.

– Pour un peintre, je m'étonne parfois que tu puisses être aussi aveugle.

194

– Bunny connaît Angelica depuis sa naissance. Il pourrait être son père. Et puis il a uniquement été invité parce que sa lettre nous a tant émus.

Il semble que Barbara n'en ait plus pour longtemps à vivre, ajouté-je en cueillant une marguerite dans l'herbe.

Tu me dévisages d'un air très calme.

– Précisément. Tu n'as pas vu comme il lui a souri lorsqu'elle lui a attaché son étiquette ?

Je ne peux cacher mon indignation.

– Bien sûr que je l'ai remarqué ! Elle n'arrivait pas à faire entrer l'épingle dans la laine de sa veste, alors il l'a aidée à glisser le papier sous son revers.

Ton visage se fend d'un sourire pincé.

– J'ai parfois l'impression que nous voyons le monde avec les deux mêmes yeux, mais que nous portons des lunettes différentes.

– À propos de lunettes, je n'ai pas pu lire les étiquettes. Tu étais censée être une bibliothèque ?

Tu m'adresses un clin d'œil canaille.

– Ah ! J'étais la Fiction !

La perspective d'une nouvelle guerre devient plus menaçante. Les lettres de Julian commencent à arriver. Au contraire de ses longs messages de Chine, mesurés et souvent méditatifs, celles-ci sont sèches, catégoriques et donnent l'impression d'être rédigées à une vitesse stupéfiante. Je les dispose sur le dessus de la cheminée comme des porte-bonheur. J'ai l'idée superstitieuse que plus la ligne sera longue, plus Julian sera en sécurité.

J'invite Wogan. Il a encore le bras lourdement bandé, mais j'insiste pour qu'il me parle des combats. Il décrit l'attente, les bouffées d'activité frénétique, le détachement face à la mort.

Je cesse d'écrire et je regarde par la fenêtre du salon. Les hirondelles tournoient dans le ciel, décrivant des cercles anarchiques. J'enlève mes lunettes et je frotte mon front douloureux. Ce que je suis sur le point de relater exige tout mon courage.

Voici comment je me représente le dernier jour de Julian. Réveil de bonne heure, le soleil déjà chaud, un intervalle entre deux combats qui permet de combler quelques-uns des nids-de-poule dans la route menant au front. Mise à couvert lorsqu'un groupe d'avions ennemis apparaît, la poussière du chemin qui vole, fouettée par les tirs. Un obus qui explose près de l'ambulance où Julian s'est réfugié. Le choc lorsqu'un éclat vient se ficher dans sa chair. Sa tentative pour m'écrire, trois mots griffonnés sur une page vierge de son carnet. Quand vient l'appel téléphonique, je suis incapable de comprendre ce que me dit la voix. Le sang martèle mes oreilles, mon souffle s'exhale en aspirations pénibles. Ensuite, tout est noir. Comme si l'eau s'était finalement refermée sur moi.

Une fois encore, tu me sauves. Assise à mon chevet, tu enfiles les mots. Je m'accroche à eux comme à une ligne de sauvetage. Je ne peux ni penser ni parler, rien qu'écouter. D'abord, je ne vois pas ce que tes paroles signifient. Puis, un soir, je crois voir le cadavre de Julian sur une table d'opération et je me tourne vers toi en hurlant. Tu me serres dans tes bras. Je t'entends dire que le monde est une œuvre d'art, et même s'il n'y a pas de Dieu, nous faisons partie du tableau.

J'entrevois la main avec son appareil. Je sens que si l'une de nous capitule, l'autre devra continuer à lutter. Je suis témoin de ce combat qui fait couler le sang. Et au loin, comme une chimère, je distingue les couleurs vives d'un dirigeable qui s'envole.

11

Je m'assieds au bureau de Julian. Voilà assez longtemps que je repousse ce moment. Je glisse la clef dans la serrure, j'ouvre le premier tiroir et j'en sors ses papiers.

Tu as raison, il faudrait publier ce qu'a écrit Julian. J'ai un dossier rempli de ses poèmes, un autre de ses lettres. Je dois à mon fils de préserver ce qu'il avait de plus durable dans sa vie. Je me saisis de la première page de la pile. Voir l'écriture de Julian m'est encore trop douloureux. Je remets les papiers dans le tiroir et je t'écris pour te demander si tu veux bien te charger de les présenter au public à ma place.

Tu viens prendre le thé. Je fabrique des rideaux pour le couvre-feu, le tissu épais recouvre mes genoux. Je ne redresse pas la tête lorsque tu t'installes à côté de moi.

– Comment te sens-tu ? demandes-tu après un moment.

Je pousse mon aiguille dans la toile et je tire le fil à travers.

– Puis-je t'aider ?

Je hausse les épaules. Tu prends mon geste pour un signe d'acquiescement. Du coin de l'œil, je vois que tu commences à ourler le rideau à l'autre bout de celui où je suis. Nous cousons en silence pendant quelques minutes.

– T'ai-je dit que j'ai reçu une lettre d'Helen au sujet du cottage ?

Je manque de me planter l'aiguille dans le doigt. Je suis si furieuse que j'éclate.

– Helen m'a écrit elle-même. Elle dit que tu l'as quasiment suppliée de venir ! Tu n'as pas le droit !

Tu lèves les yeux bien vite. Ma véhémence t'a surprise.

– Helen cherchait une petite maison, donc j'ai cru bon de lui faire cette suggestion. Avec ses enfants, elle semble former une famille charmante.

– Uniquement parce que tu n'auras pas peur qu'ils frappent à ta porte toutes les deux minutes ! Ou de les croiser chaque fois que tu sortiras !

– Je ne savais pas que tu étais si violemment hostile à Helen.

– Il ne s'agit pas d'Helen. Tu n'avais pas le droit d'en parler à quiconque.

Je termine mon fil et je me dépêche d'attacher le bout.

– Je suis désolée. Je pensais que si le cottage était occupé par quelqu'un que tu connais, tu te sentirais moins isolée. Duncan dit que tu n'as reçu aucune visite depuis des semaines.

Je me prépare une nouvelle aiguillée et je hisse sur mes genoux un autre pli du tissu. Tu lisses ton morceau de rideau avec la main.

– Autrefois, tu adorais être entourée de gens. Cette maison était toujours pleine d'invités. Tu risques de devenir une recluse.

Je vérifie que ma couture est bien droite.

– J'en ai assez, des gens.

– Je ne comprends pas pourquoi tu t'isoles. Avant, tu étais...

– Je sais, une source de lumière, interromps-je brutalement.

– Duncan dit que tu ne peins pas non plus.

Je contemple mon aiguille, à moitié enfoncée dans la toile. Ce que tu dis est tout à fait vrai. J'ai peint très peu depuis la mort de Julian.

– Et alors ?

– Ness, tu as toujours peint.

– Eh bien, il est peut-être temps que j'arrête.

– Ne dis pas cela.

Tu t'es mise à parler tout bas.

– C'est vrai. Tout ce que je peins est laid, mort. À quoi bon continuer ?

Tu as pâli. Je souffre d'un assaut de remords. Je sais que tu ne supportes pas de me voir ainsi.

– Personne n'achète de tableaux, de toute façon.

– Personne n'achète de livres, mais ce n'est pas une raison pour ne pas écrire !

Je lève les yeux. Pour la première fois, je songe que la guerre va changer des choses pour toi.

– Crois-tu qu'il y ait du vrai dans ces rumeurs d'invasion ?

– Ça me paraît très vraisemblable.

Toi aussi, tu as cessé de coudre. Nous nous dévisageons un moment.

– L'autre nuit, je ne dormais pas, j'ai imaginé que ça se produisait. J'ai entendu des pneus sur le gravier, on frappait à la porte, puis des cris en allemand quand les soldats entraient dans le vestibule.

– Et Leonard ?

– Il dit que cette fois nous sommes en première ligne.

Tu prends les ciseaux et tu coupes les bouts de fil au bord du tissu.

– Tu as entendu les nouvelles. Les juifs rassemblés et internés. Leonard n'aurait aucune chance.

– Et toi ?

À ma grande surprise, tu ris.

– Une folle mariée à un juif ! Je n'aurais pas grandes chances non plus.

– Mais que pouvons-nous faire ?

Nos tissus se touchent presque. Tu replies ton côté du rideau.

– Être prêts. Leonard a un tuyau et un jerrycan d'essence dans le garage.

C'est mon tour de blêmir. Ton calme me stupéfie. Tu n'as même pas l'air d'avoir peur.

C'est comme si un géant s'était baissé pour arracher le mur d'une maison de poupée. La colonne vertébrale de l'escalier est encore debout, mais, derrière, je ne vois que les vestiges de différentes pièces, un miroir brisé accroché au-dessus d'une cheminée, les pieds d'une table dépassant d'un monticule de plâtras, une baignoire renversée. Bien que les journaux aient diffusé des images des bombardements de Londres, rien ne m'a préparée à cela. L'accès au bâtiment est interdit et une policière s'avance vers moi quand je m'approche. J'explique qui je suis et elle me laisse passer. En montant l'escalier, j'ai l'impression que tout l'édifice pourrait s'écrouler d'un instant à l'autre. Je colle mon foulard contre mon nez pour me protéger de la poussière. Quand j'atteins mon palier, je vois que la porte de mon atelier a été arrachée de ses gonds. Avec l'aide de la policière, je la dégage et j'enjambe un tas de débris. À l'intérieur, c'est comme si le géant avait dévasté tout ce que je possédais. Mon canapé a été projeté contre le mur, mon chevalet cassé et retourné, la vaisselle et les livres des étagères dispersés à terre. Je comprends aussitôt que mes peintures sont irrécupérables. Je contemple ce qui reste d'une toile que j'avais dû laisser appuyée à la fenêtre. La chaleur de l'explosion a déformé les images, réduites à de grotesques caricatures. Je me détourne. Il n'y a rien à sauver ici.

Le livre paraît lourd et solide entre mes mains. Sur la couverture, j'admire le nom de mon fils. Je le porte jusqu'à la bibliothèque et je passe un doigt sur les reliures. Ce n'est pas le seul livre que tu as fait pour moi. Je trouve enfin ce que je cherche. Je prends ta biographie de Roger et je l'ouvre à la première page. Je lis ta description du jardin de son enfance, le pommier tordu et sale, les pavots éclos par hasard dans un coin. Tes mots me ramènent à Cambridge, à une place dans un train et à un homme encore inconnu. Le train fonce à travers champs et l'homme s'écrie : « Regardez ! Regardez !» Mes yeux se tournent dans la direction qu'il indique, et je m'extasie devant ces coquelicots écarlates, en flammes dans le blé mûr. Je suis redevenue une jeune femme, Julian est encore un petit garçon. Tes mots ont ce pouvoir.

Tu m'écris pour l'anniversaire de Julian. Tu es la seule à t'en souvenir. Je garde ta carte sur mes genoux et je pense à mes enfants. Angelica est chez Bunny, Quentin est à Londres ; Duncan travaille comme artiste de guerre à Plymouth et je ne l'attends pas. Rien n'a été annoncé, mais je sais que Bunny va épouser Angelica. Malgré tes mots de réconfort, je me sens totalement abandonnée. Je regarde par la fenêtre du salon et j'observe les nuages qui filent dans le ciel. À quoi bon continuer ?

J'introduis la clef dans le démarreur et j'éprouve une seconde de satisfaction lorsque le moteur se met en marche. Il faut que je te voie. Peu m'importe si j'épuise ma dernière ration d'essence. Il faut que je te dise que je suis incapable de tenir la promesse que je t'ai faite quand les circonstances de ma vie étaient tout autres.

Je roule à une vitesse régulière d'un bout à l'autre du chemin. La surface de la route est mouchetée par l'ombre que projettent les arbres. Quand je me gare devant chez toi, je suis accueillie par le balancement des deux grands ormes, ceux que tu appelles Leonard et Virginia. Je suis soulagée de te trouver seule.

Ébahie, je parcours du regard ton salon. Il y a partout des caisses, des piles de livres, des papiers éparpillés. Puis je me rappelle que ta maison de Londres a été bombardée et je comprends que tout cela doit provenir des ruines.

– Il y a eu de gros dégâts ? demandé-je.

Tu es à genoux près d'une caisse et tu commences à la vider. Tu ne regardes rien, tu ajoutes simplement le contenu à l'avalanche qui s'accumule déjà sur le plancher.

– Oh, tout a été détruit. Les meubles, les tableaux, les tapis, tout. Les livres et les papiers sont à peu près les seules choses à avoir survécu.

Tu souffles sur un livre pour en chasser une épaisse couche de poussière.

– Comme tu vois, même eux n'en sont pas sortis indemnes.

– Tu ne crois pas qu'il vaudrait mieux les laisser dans les caisses ?

Tu me dévisages comme si j'étais folle.

– Ah, non. Il faut que je sorte tout.

– Je suis désolée pour la maison.

– Il n'y a pas de quoi. Par bien des côtés, il est bon d'être libéré de toutes ces possessions. Et puis j'ai fait des découvertes.

Tu fouilles dans la pile la plus proche et tu en tires un carnet.

– Regarde, voici le journal que je tenais alors que j'écrivais *La Promenade au phare*.

Tu feuillettes et tu t'arrêtes pour en lire quelques passages tout bas, pour toi-même.

– Billy, je voudrais te dire quelque chose.

J'hésite un instant.

– Je... je ne peux plus continuer.

Tu lèves la tête. Je vois tes pupilles se dilater de peur. Au lieu de répondre, tu replonges dans ta caisse et tu en extrais un paquet de lettres.

– Ah, voici les lettres que tu m'as écrites juste avant la naissance de Thoby.

Je n'arrive pas à déterminer si ce lapsus sur le prénom de Julian est délibéré. Tu sors une lettre de son enveloppe.

– Cleeve House ! Te rappelles-tu le vieux monsieur Bell ? Ce sabot de cheval qu'il avait transformé en cendrier. Quelle façon d'honorer la mémoire de son animal favori !

– Billy...

Je t'implore à présent.

– Te souviens-tu de la promesse que je t'ai faite ?

Tu m'ignores toujours. Je sais ce que tu fais, tu t'enfonces dans ton récit. J'écoute ton bavardage jusqu'à ce qu'il soit temps pour moi de partir. Voyager de nuit est trop dangereux. Ton corps paraît frêle dans mes bras lorsque je t'embrasse. Pendant un moment, j'ai envie de rester, de m'étendre à côté de toi devant le feu, de te nourrir d'épaisses tartines grillées comme lorsque nous étions enfants. Au lieu de quoi, je repars vers ma voiture et je m'en vais.

C'est ton jardinier qui téléphone. J'entends sa voix comme venant de très loin. Je raccroche et je contemple la cruche remplie de fleurs sur la table du vestibule. Je ne sais que faire de ce message. Les mots rebondissent dans ma tête, mais ils n'ont aucun sens. Les choses me fuient : la table du vestibule et tous les objets posés dessus deviennent inaccessibles. Je m'adosse au mur pour ne pas perdre l'équilibre. Je te vois sur la berge, cherchant des pierres pour en remplir tes poches. Je sens le froid paralysant quand tu marches dans la rivière, le poids de tes vêtements mouillés quand tu t'obliges à avancer. J'ai de l'eau dans la bouche, les poumons, le courant nous entraîne. Cette fois, je n'y échapperai pas. Le tableau est englouti par des ténèbres que je n'ai plus la volonté de vaincre.

12

J'ai quatre ans, je fouille le panier à ouvrage de Maman, dans le salon, à St. Ives. Maman coud dans son fauteuil. Pour une fois, nous sommes seules, elle et moi. Je prends l'un de ses châles et je le drape sur moi. Ce vêtement est doux et chaud, il sent l'eau de lavande dont Maman se tamponne les poignets et les tempes chaque fois qu'elle est fatiguée. J'imagine que je suis une reine s'habillant pour une importante cérémonie officielle, et je tire sur la jupe de Maman pour qu'elle me regarde. Lorsqu'elle voit ce que j'ai sur les épaules, elle m'arrache le châle. D'une voix irritée, elle me dit que ses habits ne sont pas des jouets et elle me chasse de la pièce. Je pars vers le jardin d'un pas trébuchant, j'essaye de ne pas pleurer. Thoby me trouve et m'entraîne sur l'herbe où nous nous couchons, nos bras autour du cou l'un de l'autre. Je me sens apaisée, consolée, et quand je lève les yeux vers les nuages, j'aperçois des anges. Puis une ombre s'abat et tu tentes de te coucher entre nous. Je me retourne et j'appuie mes poings sur mes yeux. Quand je regarde à nouveau, tu es juchée sur le mur du jardin avec Thoby, tu me fais signe.

Voilà le motif auquel je reviens toujours. J'ai beau secouer les morceaux quantité de fois, ils retombent toujours aux mêmes endroits. Moi, Thoby, toi.

La voiture me dépose devant le portail. Je pénètre dans la maison par l'entrée principale et je regarde les lettres que Grace a laissées soigneusement empilées sur la table du vestibule. Je monte à l'étage et je m'arrête devant la chambre d'amis. J'entre et je me couche sur l'un des lits. C'est là que dormaient Julian et Quentin quand ils étaient petits. L'une des peintures d'Angelica est suspendue à la porte, il y a un buste de Quentin en terre cuite sur l'appui de fenêtre. Je tire la couverture par-dessus ma tête et je ferme les yeux. Je ne sais pas combien de temps je reste là. Je pense à la mine désespérée de Leonard lorsque nous avons enterré tes cendres sous les ormes. Je prends conscience de mouvements autour de moi : Duncan, Quentin, Angelica, un flux de visages qui se mélangent et se troublent. À un moment, en ouvrant les yeux, je vois mon propre visage dans le miroir de la coiffeuse, face au lit. Mon reflet dans le verre argenté me rappelle une autre physionomie, que j'ai l'impression d'avoir entrevue il y a un siècle. Je me redresse lentement. C'est dans ce miroir que j'ai regardé Maman mourir.

Je commence par les supports verticaux de mon chevalet, de solides barres parallèles. Je trace en travers les montants horizontaux, puis enfin le pied. Une fois que le cadre est en place, je peins l'envers de ma toile. Je ne fais rien pour en déguiser le vide ou pour en embellir la laideur ; ce qui compte, c'est qu'elle couvre l'espace central. À droite du chevalet, je me peins moi-même, assise sur ma vieille chaise, celle qui a un coussin vert fané. Autour de moi, tout l'attirail du peintre : pinceaux et chiffons, ma palette et mes bols à mélanger, mes flacons d'huile et de térébenthine. Je détourne la tête du chevalet, je laisse les traits de mon visage indistincts. Je ne veux pas attirer l'attention sur l'artiste mais sur l'acte de peindre proprement dit. Au-dessus de moi, occupant tout le haut du tableau, les fenêtres, avec le ciel pâle et les arbres nus dehors. Après avoir travaillé un moment, je m'interromps pour évaluer ce que j'ai fait. Il y a le cadre du chevalet, le vide intimidant de la toile, la relative fragilité de l'œil, du pinceau et de la main. Je regarde encore et je discerne une douce nuance abricot, un éclat de violet qui se répand par le rideau de dentelle jusque sur la manche de l'artiste. Sa posture exprime une énergie et une résolution qui me rappellent ta personnalité. J'examine la silhouette de plus près. Cette fois, je comprends que ce qu'elle tient à la main n'est pas un pinceau, mais un stylo.

Je travaille à une couverture pour ton dernier roman. Je dessine des rideaux sur une scène de théâtre, j'indique le tomber du tissu par de rapides traits de crayon. Les côtés se dissolvent dans une abondance de fleurs. Je veux suggérer que la pièce sera fascinante et riche. Je place le titre de ton livre en haut, de manière à ce que les mots fassent partie de l'image. J'écris nos noms, distinctement, fièrement. Je me demande si je devrais laisser une fente dans les rideaux pour qu'on aperçoive un peu du spectacle. Qu'avais-tu dit ? *Ce qui dure, ce n'est pas ce que nous mettons dans le cadre.* Je laisse les rideaux fermés.

J'ai un vase de jonquilles sur mon bureau, une flaque d'or fondu contre le bois. Dans un moment, je les peindrai. Déjà je commence à prévoir mes couleurs. Pour l'instant, je range mon carnet de croquis. J'ai quelques phrases à ajouter à mon récit.

Voilà, c'est fait. Je noue les pages ensemble et je pars dans le vestibule enfiler ma veste et mes chaussures. Je vais jusqu'à la rivière et je m'agenouille sur la berge. Je dénoue le paquet et je trempe la première feuille dans l'eau. Les mots se troublent. J'attends que le papier soit imbibé afin qu'il ne soit pas emporté par le vent, puis je le lâche. Le courant me l'arrache des doigts et l'entraîne en aval. Je prends la page suivante. Quand la dernière a été libérée, je prononce ma dédicace. Ce récit est pour toi.

Je rentre lentement à la maison et je pénètre dans le jardin par la porte de derrière. Mon regard est attiré par l'éclat des jonquilles sous les pommiers. Je décide de sortir mon chevalet pour peindre celles-là, plutôt. Je contemple ce jaune, vivant et tangible au soleil. Tu as raison. L'essentiel est de ne jamais cesser de créer.

Achevé d'imprimer en février 2011 sur les presses de l'imprimerie Corlet
à Condé-sur-Noireau (Calvados), France, pour le compte des Éditions Autrement,
77, rue du Faubourg-Saint-Antoine, 75011 Paris. Tél. : 01 44 73 80 00.
Fax : 01 44 73 00 12. N° d'imprimeur 135062. ISSN : 1248-4873. ISBN : 978-2-7467-1527-1.
Dépôt légal : mars 2011.

R.C.L.

JIIII 2011

G